Autres ouvrages de Denis Morissette

- **Gestion financière,** 2e éd. Les Éditions SMG, 2011, 740 pages.
- **Introduction à la finance corporative**, Les Éditions SMG, 2011, 584 pages.
- **Corrigé des exercices - Introduction à la finance corporative**, Les Éditions SMG, 2011, 102 pages.
- **Diagnostic financier et gestion du fonds de roulement**, Les Éditions SMG, 2011, 272 pages.
- **Corrigé des exercices - Diagnostic financier et gestion du fonds de roulement**, Les Éditions SMG, 2011, 50 pages.
- **Introduction à la gestion financière**, 3e éd., Les Éditions SMG, 2011, 362 pages.
- **Corrigé des exercices - Introduction à la gestion financière**, 3e éd., Les Éditions SMG, 2011, 58 pages.
- **Initiation au marché boursier**, Les Éditions SMG, 2011, 84 pages.
- **Corrigé des exercices - Initiation au marché boursier**, Les Éditions SMG, 2011, 10 pages.
- **Analyse financière et gestion du fonds de roulement**, 2e éd. Les Éditions SMG, 2008, 434 pages.
- **Corrigé des exercices - Analyse financière et gestion du fonds de roulement**, 2e éd. Les Éditions SMG, 2008, 74 pages.
- **Valeurs mobilières et gestion de portefeuille**, 4e édition, Les Éditions SMG, 2005, 754 pages.
- **Corrigé des exercices - Valeurs mobilières et gestion de portefeuille**, 4e édition, Les Éditions SMG, 2005, 120 pages.
- **Initiation aux mathématiques financières**, Les Éditions SMG, 2001, 57 pages.
- **Cas en valeurs mobilières et gestion de portefeuille**, Les Éditions SMG, 1999, 94 pages.
- **Décisions financières à long terme**, 3e édition, Les Éditions SMG, 1994, 546 pages (avec la collaboration de Wilson O'Shaugnessy). (Épuisé).
- **Corrigé d'exercices choisis - Décisions financières à long terme**, 3e édition, Les Éditions SMG, 1994, 84 pages. (Épuisé).

Corrigé des exercices

Gestion financière

2e édition

Les Éditions SMG
5365 boulevard Jean XXIII
Trois-Rivières (Québec) G8Z 4A6
Téléphone : (819) 376-5650
Télécopieur : (819) 373-2904

Distributeur pour tous les pays
(sauf le Canada)
Lavoisier
14, rue de Provigny
F-94236 Cachan cedex France
www.Lavoisier.fr

Coordination éditoriale et
responsable de la production : Gérald Baillargeon
Traitement de texte et mise en pages : Gérald Baillargeon
Illustrations et graphiques : Guy Jetté
Préparation des fichiers pdf : Richard Gagné
Conception du couvert : Guy Jetté

Corrigé des exercices - Gestion financière, 2e éd.

Bibliothèque et Archives nationales du Québec
Bibliothèque et Archives du Canada

ISBN 978-2-89094-268-4

Tirage : décembre 2013

Corrigé des exercices

Gestion financière

2e édition

Denis Morissette

Département des sciences de la gestion
Université du Québec à Trois-Rivières

Les Éditions SMG
Trois-Rivières,Qc

Distributeur exclusif pour tous les pays (sauf le Canada) :
Lavoisier
14 rue de Provigny
F-94236 Cachan cedex France
www.Lavoisier.fr

Gestion financière, 2e éd.

Corrigé des exercices

Table des matières

Chapitre 2

Mathématiques financières I : l'intérêt composé

Série A

1. $P = 1\ 000\ 000\left(1+\frac{0,16}{4}\right)^{-(35\times 4)}$

$P = 4124,13\ \$$

2. $10\ 000 = P(1 + 0,12)^{5,25}$

d'où : $P = 5515,76\ \$$

3. $4 = 1\left(1+\frac{0,16}{4}\right)^{n}$

d'où : n = 35,35 trimestres = 8,84 années

La valeur de « n » peut se calculer à l'aide des logarithmes ou en ayant recours à la calculatrice financière.

1° Calcul de la valeur de « n » avec les logarithmes naturels

$ln\,4 = ln(1+0,04)^{n}$

$ln\,4 = n \cdot ln(1+0,04)$

d'où :

$$n = \frac{ln\,4}{ln(1+0,04)} = \frac{1,386294}{0,0392207} = 35,35 \text{ trimestres}$$

$$= 8,84 \text{ années}$$

Remarque. Pour obtenir la valeur de ln 4, on procède comme suit avec la calculatrice SHARP EL-738.

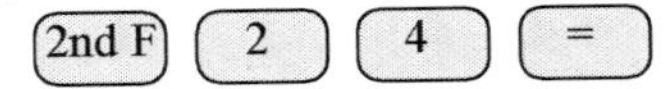

Résultat affiché : 1,386294

2º Calcul de la valeur de « n » à l'aide de la calculatrice financière

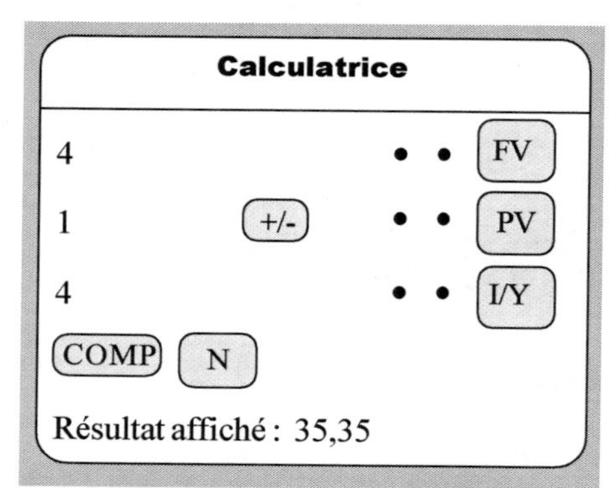

Note : La calculatrice affiche le nombre de périodes et non le nombre d'années.

4. Il s'agit de calculer le taux effectif annuel équivalent à chacun des taux mentionnés.

a) $r = \left(1 + \frac{0,24}{2}\right)^2 - 1 = 25,44\%$

b) $r = \left(1 + \frac{0,24}{12}\right)^{12} - 1 = 26,82\%$

c) $r = \left(1 + \frac{0,24}{4}\right)^4 - 1 = 26,25\%$

d) $r = 25\%$

e) $r = \left(1 + \frac{0,23}{12}\right)^{12} - 1 = 25,59\%$

f) $r = e^{0,225} - 1 = 25,23\%$

Rép.: d

Remarque. À l'aide de la calculatrice SHARP EL-738, le taux de 25,23% s'obtient en procédant comme suit :

(2nd F) (+/-) (0,225) = 1,2523 d'où : r = 1,2523 - 1 = 25,23%

5. Rép.: (b) 26,82%

6. a) Taux nominal = (2) (6%) = 12%

b) Taux effectif annuel $= (1 + 0,06)^2 - 1 = 12,36\%$

c) Valeur définitive $= 200\,(1 + 0,06)^8 = 318,77$ $

d) $$\begin{array}{c}\text{Intérêts de la}\\ \text{période 3}\end{array} = \left(\begin{array}{c}\text{Valeur accumulée à la fin}\\ \text{de la période 2}\end{array}\right)(0,06)$$

$$= 200(1 + 0,06)^2\,(0,06)$$

$$= 13,48\ \$$$

e) $P = 180,61(1 + i)^{-20}$

et $i = (1 + 0,1255)^{1/4} - 1 = 3\%$

$P = 180,61(1 + 0,03)^{-20} = 100\ \$$

f) $i = 3\%$ (voir e)

g) Taux nominal = (4)(3%) = 12%

h) Intérêts de la période 3 = $100(1 + 0{,}03)^2(0{,}03) = 3{,}18$ $

i) 1 fois, car le taux périodique = le taux effectif annuel

j) $1071{,}79 = 500(1 + 0{,}10)^t$

d'où : $t = 8$ ans

k) 10% = taux effectif annuel, car $c = 1$.

l) Intérêts de la période 3 = $500(1 + 0{,}10)^2\,(0{,}10) = 60{,}50$ $

7. Valeur présente de chacune des 3 offres :

$$P = 25\ 000\left(1+\frac{0{,}08}{4}\right)^{-32} = 13\ 265{,}83\ \$$$

$$P = 20\ 000\left(1+\frac{0{,}08}{4}\right)^{-20} = 13\ 459{,}43\ \$$$

Rép.: 18 000 $ comptant

8. $$\left(1+\frac{i_{73}}{73}\right)^{73} = \left(1+\frac{0{,}08}{2}\right)^{2}$$

d'où : $i_{73} = 73\left[(1+0{,}04)^{2/73} - 1\right] = 7{,}85\%$

Remarque. Pour obtenir directement ce résultat avec la calculatrice SHARP EL - 738, suivre la démarche décrite à l'exemple 2.11.

9. Intérêts des années 7 à 9 inclusivement $= 30000\left(1+\dfrac{0{,}07}{4}\right)^{36} - 30000\left(1+\dfrac{0{,}07}{4}\right)^{24}$

$= 56022{,}22 - 45493{,}28$

$= 10528{,}94$ $

10. Valeur définitive du CPG dans 5 ans $= 100\ 000(1+0{,}02)^{10} = 121\ 899{,}44$ $

Valeur définitive de l'obligation d'épargne du Canada dans 5 ans $= 100\ 000(1+0{,}0150)(1+0{,}0350)(1+0{,}04)(1+0{,}06)(1+0{,}07)$

$= 123\ 916{,}57$ $

Par conséquent, elle devrait investir son argent dans l'obligation d'épargne du Canada.

Série B

11. $5 = (1+0,045)^8 \times (1+0,015)^{12} \times (1+0,07)^n$

$5 = (1,42210061) \times (1,19561817) \times (1+0,07)^n$

$5 = (1,70028932)(1+0,07)^n$

Avec la calculatrice financière, on obtient directement la valeur de n, soit 15,94. Par conséquent, il faudra 22,94 années (soit 15,94 + 4 +3) pour quintupler la somme investie.

12. Valeur actuelle $= 1\,000(1+0,14)^{-2} + 1\,000(1+0,14)^{-2,5} + 2\,500(1+0,14)^{-3,25}$

$= 3\,123,19$ \$

13. Valeur accumulée dans 10 ans $= 1\,000(1+0,12)^8 + 2\,000(1+0,12)^{6,6667} + 5\,000(1+0,12)^{2,8333}$

$= 13\,626,62$ \$

14. $\left(1+\frac{i_{1/3}}{1/3}\right)^{1/3} = (1+0,04)$

d'où : $i_{1/3}$ = taux nominal annuel capitalisé à tous les 3 ans =

$\left[(1+0,04)^3 - 1\right] \times \frac{1}{3} = 4,16\%$

15. $(1+r)^3 = \left(1+\frac{0,11}{2}\right)^2 \left(1+\frac{0,15}{2}\right)^2 (1+0,08)^1$ d'où : $r = 11,58\%$

16. $P = 50\,000\left(1+\frac{0,18}{4}\right)^{-24} \cdot \left(1+\frac{0,12}{4}\right)^{-16}$

$P = (50\,000)(0,347703473)(0,623166939)$

$P = 10\,833,87$ \$

17. $1000 = P + 0,06\,P(1+3\%)^3 + 0,06\,P(1+3\%)^2 + 0,06\,P(1+3\%) + 0,06\,P$

$1000 = P[1 + 0,06\,(1+3\%)^3 + 0,06\,(1+0,06)^2 + 0,06\,(1+3\%) + 0,06]$

$1000 = 1,25101762P$

d'où : $P = 799,35$ \$

18. $\left(1+\frac{i_{52}}{52}\right)^{52} = e^{0,10}$

$\left(1+\frac{i_{52}}{52}\right) = e^{0,10/52}$

d'où : $i_{52} = 52[e^{0,10/52} - 1] = 10,01\%$

19. $50\ 000 = 18\ 000e^{(0,12)(t)}$

$$\frac{50\ 000}{18\ 000} = e^{(0,12)(t)}$$

$$ln\left(\frac{50\ 000}{18\ 000}\right) = ln e^{0,12t}$$

$$ln 2,7777 = 0,12t$$

$$\text{d'où : } t = \frac{ln 2,7777}{0,12} = 8,51 \text{ années}$$

20. a) F b) V c) V d) V e) V f) V g) V h) V

Chapitre 3

Mathématiques financières II : les annuités

Série A

1. $10\ 000 = 400\ddot{A}_{\overline{40}|i}$

d'où : $i = 2{,}68\%$

$i_4 = 4i = (4)(0{,}0268) = 10{,}72\%$

et $r = (1+i)^4 - 1 = (1+0{,}0268)^4 - 1 = 11{,}16\%$

2. a) $10\ 000 = 398{,}36\,A_{\overline{40}|i}$

d'où : $i = 2{,}5\%$ par trimestre

b) $r = (1+0{,}025)^4 - 1 = 10{,}38\%$

3. Banque A : le versement mensuel est :

$20\ 000 = R\,A_{\overline{60}|13\%/12}$

d'où : $R = 455{,}06$ \$

Concessionnaire XYZ : le versement mensuel est de 415 \$.

La meilleure offre est donc celle du concessionnaire XYZ.

4. $V_d = 30\,000(1+0{,}07)^{16} + 12\,000\,\ddot{S}_{\overline{16}|7\%}$

$= 446\,647{,}52$ \$

5. Valeur accumulée dans 10 ans $= 300\,S_{\overline{4}|12\%}(1+0{,}12)^6 + 500\,S_{\overline{6}|12\%}$

$= 6\,887{,}66$ \$

6. a) $25\ 000 = R \cdot A_{\overline{5}|14\%}$

d'où : $R = 7282{,}09$ \$

b)

Période	Solde en début de période	Versement	Intérêts sur le solde	Remise de capital	Solde en fin de période
1	25 000	7282,09	3500	3782,09	21 217,91
2	21 217,91	7282,09	2970,51	4311,58	16 906,33
3	16 906,33	7282,09	2366,89	4915,20	11 991,13
4	11 991,13	7282,09	1678,76	5603,33	6 387,80
5	6 387,80	7282,09	894,29	6 387,80	0

7. a) $8\,052{,}55 = 5\,500(1+i)^4$ d'où : $i = 10\%$

b) $\text{Montant emprunté} = RC_1 \cdot S_{\overline{10}|10\%}$

$= 5\,500\, S_{\overline{10}|10\%}$

$= 87\,655{,}84$ \$

c) $87\,655{,}84 = R\, A_{\overline{10}|10\%}$ d'où : $R = 14\,265{,}58$ \$

et $\begin{matrix}\text{Solde de la dette}\\ \text{après le } 3^e \text{ versement}\end{matrix} = 14\,265{,}58\, A_{\overline{7}|10\%} = 69\,450{,}82$ \$

d) $\text{Total des intérêts} = \begin{pmatrix}\text{\# de}\\ \text{vers.}\end{pmatrix}\begin{pmatrix}\text{Montant}\\ \text{du vers.}\end{pmatrix} - \begin{pmatrix}\text{Montant}\\ \text{emprunté}\end{pmatrix}$

$= (10)(14\,265{,}58) - 87\,655{,}84$

$= 54\,999{,}96$ \$

8. a) $400\,000 = R\, A_{\overline{240}|0{,}50\%}$

d'où : $R = 2\,865{,}72$ \$

b) $RC_{16} = RC_1 \cdot (1+i)^{15}$

$RC_{16} = [2\,865{,}72 - (400\,000)(0{,}0050)](1 + 0{,}0050)^{15}$

$RC_{16} = 932{,}97$ \$

c) 1°. $\begin{matrix}\text{Solde au début}\\ \text{du mois}\end{matrix} = 2\,865{,}72\, A_{\overline{231}|0{,}50\%} = 392\,050{,}24$ \$

2°. Versement mensuel $= 2\,865{,}72$ \$

3°. Intérêts $= (392\,050{,}24)(0{,}0050) = 1\,960{,}25$ \$

4°. $\begin{matrix}\text{Remboursement}\\ \text{de capital}\end{matrix} = 2\,865{,}72 - 1\,960{,}25 = 905{,}47$ \$

5°. $\begin{matrix}\text{Solde à la fin}\\ \text{du mois}\end{matrix} = 392\,050{,}24 - 905{,}47 = 391\,144{,}77$ \$

d) $\begin{matrix}\text{Intérêts}\\ \text{payés}\end{matrix} = \begin{pmatrix}\text{\# de versements}\\ \text{effectués}\end{pmatrix}\begin{pmatrix}\text{Montant}\\ \text{du}\\ \text{versement}\end{pmatrix} - \begin{pmatrix}\text{Capital remboursé}\\ \text{au cours de la}\\ \text{septième et de la}\\ \text{huitième années}\end{pmatrix}$

$= (24)(2\,865{,}72) - \begin{pmatrix}\text{Solde de la dette}\\ \text{après le } 72^e\\ \text{versement}\end{pmatrix} - \begin{pmatrix}\text{Solde de la dette}\\ \text{après le } 96^e\\ \text{versement}\end{pmatrix}$

$= (24)(2\,865{,}72) - (2\,865{,}72 \cdot A_{\overline{168}|0{,}50\%} - 2\,865{,}72 \cdot A_{\overline{144}|0{,}50\%})$

$= (24)(2\,865{,}72) - (325\,193{,}28 - 293\,663{,}92)$

$= 37\,247{,}92$ \$

d) Dans un premier temps, on calcule le capital total remboursé dans les versements impairs en procédant ainsi :

Capital total remboursé dans les versements impairs $= RC_1 + RC_3 + RC_5 + ... + RC_{239}$
$= RC_1 + RC_1(1+i)^2 + RC_1(1+i)^4 + ... + RC_1(1+i)^{238}$

L'expression ci-dessus représente la somme des termes d'une progression géométrique avec :

$a = RC_1 = [2\ 865{,}72 - (400\ 000)(0{,}0050)] = 865{,}72\ \$$

$r = (1+i)^2 = (1+0{,}0050)^2$

et

$n = 120$

Par conséquent :

Capital total remboursé dans les versements impairs
$$= \frac{a(r^n - 1)}{r - 1}$$
$$= [2865{,}72 - (400\ 000)(0{,}0050)]\left[\frac{(1+0{,}0050)^{2\times 120} - 1}{(1+0{,}0050)^2 - 1}\right]$$
$$= 199\ 500{,}27\ \$$$

Les intérêts payés dans les versements impairs correspondent à :

Intérêts payés dans les versements impairs $= (120)(2\ 865{,}72) - 199\ 500{,}27$
$= 144\ 386{,}13\ \$$

9. $V_d = 2\,000 S_{\overline{4}|8\%}(1+0{,}10)^6 + 2\,000 S_{\overline{6}|10\%}$
$= 31396{,}92\ \$$

10. $$2\,000 = R\left[\frac{1 - \left(\frac{1+0{,}05}{1+0{,}10}\right)^{10}}{0{,}10 - 0{,}05}\right]$$

d'où : $R = 268{,}82\ \$$

Ce genre d'exercice peut également être résolu à l'aide de la méthode du taux d'actualisation rajusté et de la calculatrice financière en suivant la démarche présentée ci-dessous :

$$y = \text{Taux d'actualisation rajusté} = \left(\frac{1+i}{1+g}\right) - 1$$
$$= \left(\frac{1+0{,}10}{1+0{,}05}\right) - 1$$
$$= 4{,}7619048\%$$

En utilisant l'expression (3.13), on peut écrire :

$$2\ 000 = \left(\frac{R}{1+0,05}\right)\left[\frac{1-(1+0,047619048)^{-10}}{0,047619048}\right]$$

Avec la calculatrice financière, on procède ainsi :

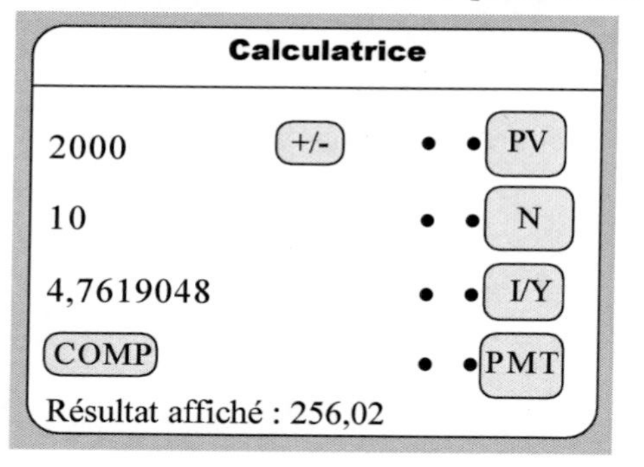

Rappellons que, selon l'équation (3.13), PMT correspond à $\frac{R}{1+g}$. Par conséquent, la valeur de R est égale à :

$R = 256,02\,(1 + 0,05) = 268,82$ \$.

11. Dans un premier temps, on doit déterminer la valeur de « g » en procédant ainsi :
$933,12 = 800(1 + g)^2$
d'où : g = 8%.
Une première façon de procéder consiste à utiliser l'expression (3.8). Dans ce cas, on obtient :

$$V_d = 800(1+0,10)^{12}\left[\frac{\left(\frac{1+0,08}{1+0,10}\right)^{12}-1}{0,08-0,10}\right] = 24\ 810,33\ \$$$

Il est possible d'aboutir plus rapidement au résultat précédent en ayant recours à la méthode du taux d'actualisation rajusté et à la calculatrice financière :

$$\text{y : Taux d'actualisation rajusté} = \left(\frac{1+0,10}{1+0,08}\right)-1 = 1,8518519\%$$

En utilisant l'équation (3.11), on peut écrire :

$$V_d = 800(1+0,08)^{12-1}\left[\frac{(1+0,018518519)^{12}-1}{0,018518519}\right]$$

Calculatrice

$800(1+0,08)^{12-1} = 1865,311198$ • • PMT
1,85518519 • • I/Y
12 • • N
COMP • • FV
Résultat affiché : 24810,33

12. En utilisant la méthode du taux d'actualisation rajusté et la calculatrice financière, on peut trouver directement le taux d'intérêt cherché. Selon l'équation (3.13), on peut écrire :

$$100\ 000 = \left(\frac{4\ 000}{1+0,06}\right)\left[\frac{1-(1+y)^{-20}}{y}\right]$$

À l'aide de la calculatrice financière, la valeur de « y » s'obtient en procédant comme suit :

Calculatrice

100000 • • PV

$\frac{4000}{1+0,06}=3773,584906$ +/- • • PMT

20 • • N

COMP I/Y

Résultat affiché : -2,542458994

Par conséquent, le taux d'intérêt chargé par le prêteur (i) est égal à :

$$i=(1+y)(1+g)-1=(1-0,02542458994)(1+0,06)$$
$$=3,3049\%$$

13. Calculons d'abord le taux mensuel équivalent j :

$(1+j)^{12}=(1+0,10)$

d'où : $j=0,00797414$

$$\ddot{V}_d = 200\,S_{\overline{48}|0,00797414} \times (1+0,00797414)$$

$$\ddot{V}_d = 11\ 732,95\ \$$$

14. Calculons d'abord le taux semestriel équivalent (j) :

$$(1+j)^2 = \left(1+\frac{0,19}{12}\right)^{12}$$

d'où : $j=0,09884075$

$$V_p = 300\,A_{\overline{24}|0,09884075} \cdot (1+0,09884075)^{-5}$$

$$V_p = 1\ 697,30\ \$$$

15. a) $V_p = \frac{500}{0,03} = 16\ 666,67\ \$$

b) $\ddot{V}_p = \frac{500}{0,03}(1+0,03) = 17\ 166,67\ \$$

c) $V_p = \frac{500}{0,03}(1+0,03)^{-17} = 10\ 083,61\ \$$

16. a) F b) V c) V d) V e) F f) V g) V h) V i) V j) V k) V

Série B

17. $5000 = \frac{1500}{(1+r)^1} + \frac{3000}{(1+r)^{2,67}} + \frac{3500}{(1+r)^{4,25}}$

Par approximations successives, on trouve r ≈ 17,42%. Il est également possible de déterminer précisément la valeur de « r » en utlisant la fonctionnalité *Valeur cible* sur Excel.

18. $4\,000 = \frac{2\,000}{(1+r)^{46/52}} + \frac{1500}{(1+r)^{81/52}}$

Par approximations successives, on trouve r ≈ -10,67%.

19. c

20. e

21. c

22. b

23. a

24. e

25. $5000 = 1400 A_{\overline{15}|i}(1+i)^{-12}$

Par approximations successives, on trouve r ≈ 7,71%,
d'où : $i_2 \approx (2)(7,71\%) \approx 15,42\%$.

26.
$$\begin{aligned}
&R + 0,15R(1,08)^9 + 0,15R(1,08)^8 + ... + 0,15R\\
&+R + 0,15R(1,08)^8 + ... + 0,15R\\
&+R + 0,15R(1,08)^7 + ... + 0,15R\\
&+R + 0,15R(1,08)^6 + ... + 0,15R\\
&+R + 0,15R(1,08)^5 + ... + 0,15R \qquad = 100\,000\\
&+R + 0,15R(1,08)^4 + ... + 0,15R\\
&+R + 0,15R(1,08)^3 + ... + 0,15R\\
&+R + 0,15R(1,08)^2 + ... + 0,15R\\
&+R + 0,15R(1,08) + 0,15R\\
&+R + 0,15R
\end{aligned}$$

$$10R + 0,15R\,S_{\overline{10}|8\%} + 0,15R\,S_{\overline{9}|8\%} + 0,15R\,S_{\overline{8}|8\%} + 0,15R\,S_{\overline{7}|8\%} + 0,15R\,S_{\overline{6}|8\%} + 0,15R\,S_{\overline{5}|8\%}$$
$$+ 0,15R\,S_{\overline{4}|8\%} + 0,15R\,S_{\overline{3}|8\%} + 0,15R\,S_{\overline{2}|8\%} + 0,15R\,S_{\overline{1}|8\%} = 100\,000$$

$$10R + 0,15R[S_{\overline{10}|8\%} + S_{\overline{9}|8\%} + ... + S_{\overline{1}|8\%}] = 100\,000$$

$$10R + 0,15R\left[\frac{(1+0,08)^{10} - 1}{0,08} + \frac{(1+0,08)^9 - 1}{0,08} + ... + \frac{(1+0,08)^1 - 1}{0,08}\right] = 100\,000$$

$$10R + 0,15R\left[\frac{(1+0,08)S_{\overline{10}|8\%} - 10}{0,08}\right] = 100\,000$$

R[10 + (0,15) (70,56859)] = 100 000
d'où : R ≈ 4857,83 $

27. Montant à investir maintenant $= 25\,000 \left[\dfrac{1 - \left(\dfrac{1+0,06}{1+0,10} \right)^{11}}{0,10 - 0,06} \right] (1+0,10)^{-2}$

$= 172\,860,50$ $

28.

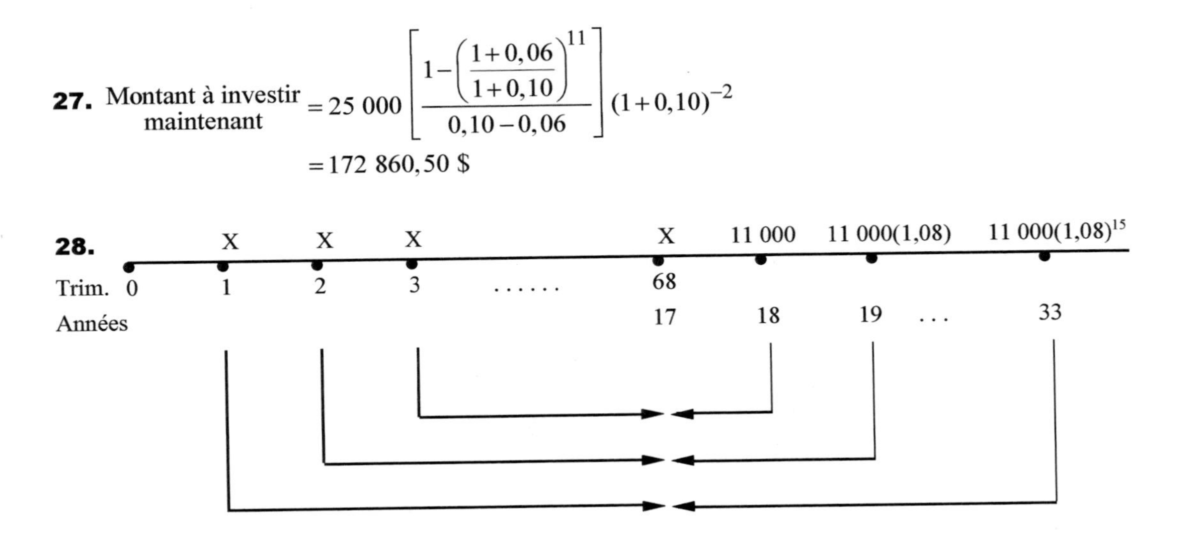

Calculons tout d'abord le taux d'intérêt trimestriel j équivalent au taux effectif de 8% :

$(1 + j)^4 = 1 + 0,08$

d'où : j = 1,9426547%

Par la suite, on pose :

$$\begin{pmatrix}\text{Valeur accumulée des versements} \\ \text{dans 68 trimestres}\end{pmatrix} = \begin{pmatrix}\text{Valeur actualisée, au temps 68, des} \\ \text{prestations que l'on veut retirer}\end{pmatrix}$$

$$X \cdot S_{\overline{68}|1,9426547\%} = (16)(11\,000)(1+0,08)^{-1}$$

(expression 3.9a car i = g)

d'où : X = 1172,51$

Si les prestations sont indexées à 6%, on a :

$$X \cdot S_{\overline{68}|1,9426547\%} = 11\,000 \left[\frac{1 - \left(\dfrac{1+0,06}{1+0,08} \right)^{16}}{0,08 - 0,06} \right]$$

d'où : X = 1022,93 $

29. Taux mensuel équivalent = $(1 + 0,07)^{1/6} - 1 = 0,01134026$

Taux effectif annuel équivalent = $(1 + 0,07)^2 - 1 = 0,1449$

$$R S_{\overline{48}|0,01134026}(1+0,01134026) = 10\,000\, A_{\overline{5}|0,1449}$$

d'où : R = 529,76 $

30. a) $75\,000 = 960\ A_{\overline{300}|j}$ d'où : $j = 0{,}012491078$ et $r = (1+0{,}012491078)^{12} - 1 = 16{,}06\%$

b) $\left(1+\frac{i_2}{2}\right)^2 = (1+0{,}012491078)^{12}$ d'où : $i_2 = 2 \cdot [(1+0{,}012491078)^{12/2} - 1] = 15{,}47\%$

c) $j = \left(1+\frac{0{,}14}{2}\right)^{2/12} - 1 = 0{,}01134026$

$75\,000 = R\ A_{\overline{300}|0{,}01134026}$ d'où : $R = 880{,}41$ $

d) $\text{Montant à renégocier dans 5 ans} = 880{,}41 A_{\overline{240}|0{,}01134026} = 72\,451{,}24$ $

e) $(1+j)^{12} = \left(1+\frac{0{,}11}{2}\right)^2$ d'où : $j = 0{,}008963393$

f) $72\,451{,}24 = R\ A_{\overline{240}|0{,}008963393}$ d'où : $R = 735{,}84$ $

g) $\text{Montant à emprunter dans 5 ans} = 100\,000(1+0{,}06)^5 - 25\,000\left(1+\frac{0{,}12}{12}\right)^{60} = 88\,405{,}14$ $

$88\,405{,}14 = R\ A_{\overline{240}|0{,}008963393}$ d'où : $R = 897{,}88$ $

31. a) Le taux mensuel équivalent de l'hypothèque se calcule ainsi :

$j = \left(1+\frac{0{,}0850}{2}\right)^{2/12} - 1 = 0{,}006961062$

Le versement mensuel à effectuer est :

$125\,000 = R\ A_{\overline{240}|0{,}6961062\%}$ d'où : $R = 1\,073{,}20$ $

Le solde de l'hypothèque est donc :

Solde actuel de l'hypothèque $= 1\,073{,}20\ A_{\overline{180}|0{,}6961062\%} = 109\,941{,}20$ $

b) $\text{Intérêts à payer si le solde est remboursé sur 15 ans} = (180)(1\,073{,}20) - 109\,941{,}23$

$= 83\,234{,}77$ $

Le versement mensuel à effectuer pour rembourser l'hypothèque sur 10 ans se calcule ainsi :

$109\,941{,}23 = R \cdot A_{\overline{120}|0{,}6961062\%}$ d'où : $R = 1\,354{,}50$ $

Les intérêts à payer sur 10 ans s'élèvent à :

= (120) (1354,50) - 109 941,23 = 52 598,77 $

Le montant total des intérêts qu'il pourra économiser est donc :

83 234,77 - 52 598,77 = 30 636 $.

32. a) Le taux d'intérêt mensuel équivalent de l'hypothèque se calcule ainsi :

$$j=\left(1+\frac{0{,}07}{2}\right)^{2/12}-1=0{,}005750039$$

Le solde actuel de l'hypothèque est donc :

$$\text{Solde actuel de l'hypothèque}=830{,}86\,A_{\overline{168}|0{,}5750039\%}=89\ 348{,}72\ \$$$

b) Le taux d'intérêt hebdomadaire équivalent se calcule ainsi :

$$(1+j)^{52}=\left(1+\frac{0{,}07}{2}\right)^{2} \qquad \text{d'où : } j=(1+0{,}035)^{2/52}-1=0{,}001324007$$

Le versement hebdomadaire à effectuer est : 830,86/4 = 207,72.

Le nombre de versements hebdomadaires à effectuer pour rembourser le solde de l'hypothèque se calcule ainsi :

$$89\ 348{,}72=207{,}72\,A_{\overline{n}|0{,}1324007\%}$$

À l'aide de la calculatrice financière, on obtient n = 637.

Anne-Marie pourrait donc raccourcir la période d'amortissement de sa dette de 1,75 année, soit :

$$\frac{168}{12}-\frac{637}{52}=1{,}75 \text{ année}$$

33. Le montant de la rente désirée dans 7 ans se calcule ainsi : $50\ 000\,(1+0{,}04)^7=65\ 796{,}59$ $.

La somme globale nécessaire à l'âge de 55 ans est donc :

$$\text{Somme globale nécessaire à l'âge de 55 ans}=65\ 786{,}59(1+0{,}10)\left[\frac{1-\left(\frac{1+0{,}04}{1+0{,}10}\right)^{30}}{0{,}10-0{,}04}\right]=982\,055{,}93\ \$$$

On peut aboutir rapidement à ce dernier résultat à l'aide de la méthode du taux d'actualisation rajusté en procédant comme suit :

$$y:\text{ Taux d'actualisation rajusté }=\left(\frac{1+0{,}10}{1+0{,}04}\right)-1=5{,}7692308\%$$

Selon cette méthode, la valeur actualisée d'une annuité de début de période en progression géométrique est égale à :

$$\ddot{V}_p=V_p(1+i)$$

$$\ddot{V}_p=\underbrace{\left(\frac{R}{1+g}\right)\left[\frac{1-(1+y)^{-n}}{y}\right]}_{\text{(équation 3.13)}}(1+y)(1+g)$$

$$\ddot{V}_p=R(1+y)\left[\frac{1-(1+y)^{-n}}{y}\right]$$

$$\ddot{V}_p=65796{,}59(1+0{,}057692308)\left[\frac{1-(1+0{,}057692308)^{-30}}{0{,}057692308}\right]$$

À l'aide de la calculatrice financière, on obtient :

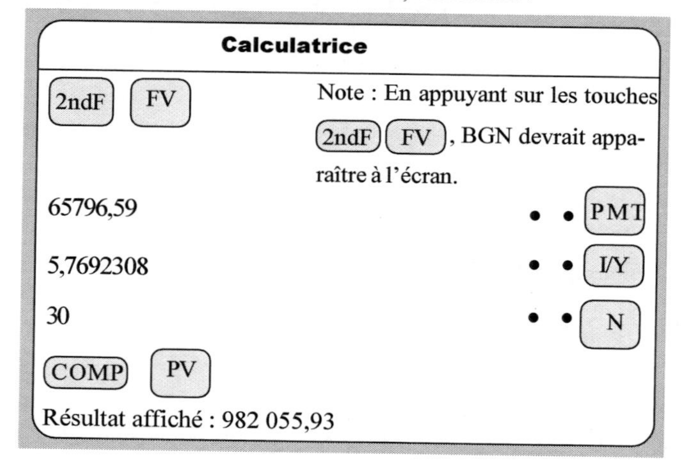

34. a) Valeur anticipée du portefeuille de Sylvie à l'âge de 55 ans $= 270\ 000(1+0,10)^8 + 4\ 000 S_{\overline{8}|10\%} = 624\ 512,53\ \$$

b) Valeur actuelle (à l'âge de 55 ans) des prestations désirées $= 50\ \ 000(1+0,10)\left[\dfrac{1-\left(\dfrac{1+0,03}{1+0,10}\right)^{30}}{0,10-0,03}\right] = 676\ 419,15\ \$$

Il lui manquera une somme de 51 906,62 \$, soit 676 419,15 \$ - 624 512,53 \$. Le montant qu'elle devra investir dans son REÉR à la fin de chaque année pour atteindre son objectif se calcule ainsi :

$$RS_{\overline{8}|10\%} = 676\ 419{,}15 - 270\ 000(1+0{,}10)^8$$

d'où : R = 8 538,92 \$

35.
$$
\begin{aligned}
V_d &= 80\ 000(1+0,06)^{10}(1+0,08)^{15} \\
&+ 5\ 000 S_{\overline{10}|6\%}(1+0,08)^{15} \\
&+ 5\ 000 S_{\overline{15}|8\%} \\
&= 799\ 289\ \$
\end{aligned}
$$

36. Le taux d'intérêt mensuel équivalent de l'hypothèque se calcule ainsi :

$$j = \left(1 + \frac{0{,}08}{2}\right)^{2/12} - 1 = 0{,}006558196$$

Le versement mensuel à effectuer pour rembourser l'hypothèque est :

$150\ 000 - 25\ 000 = R \cdot A_{\overline{240}|0,6558196\%}$ d'où : $R = 1035,45\ \$$

L'ATD est égal à :

$$= \frac{1035{,}45 + \left(\dfrac{2500+1000}{12}\right) + 475 + (8000)(3\%)}{75\ 000/12} = \frac{2042{,}12}{6250} = 32{,}67\%$$

Le prêt hypothécaire sera fort probablement octroyé, puisque l'ATD est inférieur à 40%.

37. a) Le taux mensuel équivalent de l'hypothèque est :

$$j=\left(1+\frac{0,08}{2}\right)^{2/12}-1=0,006558196$$

Le versement mensuel à effectuer pour rembourser l'hypothèque est :

$$80\ 000=R\cdot A_{\overline{180}|0,6558196\%} \quad \text{d'où : } R=758,52\ \$$$

b) Compte tenu de son taux d'imposition marginal de 48% et de son versement hypothécaire actuel, le montant mensuel que Karine peut placer dans son REÉR se calcule ainsi :

$=(1\ 000-758,52)/(1-0,48)=464,38\ \$$

Ce dernier résultat tient compte du fait, qu'en effectuant une contribution mensuelle au REÉR de 464,38 \$, Karine pourra bénéficier d'une économie d'impôt de 222,90 \$, soit 464,38 \$ $\times$ 48%. Le montant mensuel qu'elle peut placer dans son REÉR est donc égal à :

(Liquidité excédentaire - Versement hypothécaire) + Économie d'impôt liée à la contribution au REÉR = (1 000 \$ - 758,52 \$) + (464,38 \$)(48%).

Le taux de rendement mensuel équivalent des placements détenus à l'intérieur du REÉR est :

$j=(1+0,08)^{1/12}-1=0,00643403$

La valeur accumulée dans 15 ans des cotisations mensuelles de fin de période au REÉR s'élève à :

$$\begin{array}{l}\text{Valeur accumulée dans 15 ans} \\ \text{des cotisations au REÉR}\end{array} = 464,38\,S_{\overline{180}|0,643403\%}$$

$$=156\ 777,61\ \$$$

c) La nouvelle période d'amortissement du prêt hypothécaire se calcule ainsi :

$$80\ 000=1000\,A_{\overline{n}|0,6558196\%}$$

À l'aide de la calculatrice financière, on trouve n = 113,77. Une série de 114 paiements seront donc nécessaires pour rembourser complètement la dette.

Par la suite, Karine pourra verser dans son REÉR 1 923,08 \$ (soit 1 000/(1-0,52) par mois et ce, pendant 66 mois. La valeur accumulée de ces versements dans 15 ans s'élève à :

$$1923,08\,S_{\overline{66}|0,643403\%}=157\ 507,26\ \$$$

d) Les résultats précédents indiquent que les deux options considérées sont sensiblement équivalentes. Dans le premier cas, l'hypothèque sera complètement remboursée dans 15 ans et Karine aura accumulé une somme globale de 156 777,61 \$ dans son REÉR dans 15 ans. Selon la deuxième option envisagée, l'hypothèque sera remboursée plus rapidement et Karine disposera d'une somme globale de 157 507,26 \$ dans son REÉR. L'écart entre les deux options (environ 730 \$) est relativement minime.

38. Taux effectif annuel $=\left(1+\frac{0,11}{2}\right)^{2}-1=11,3025\%$

$$10\ 000=x\,A_{\overline{5}|11,3025\%}+2x\,A_{\overline{7}|11,3025\%}(1+0,113025)^{-5}$$

$$10\ 000=x[3,667944+5,463818]$$

d'où : x = 1 095,08 \$ et

$$\begin{array}{c}\text{Solde de la dette} \\ \text{après le 8}^{\text{e}}\text{ versement}\end{array}=(2)(1\ 095,08)\,A_{\overline{4}|11,3025\%}=6\ 751,20\ \$$$

39. Remboursement de capital inclus dans le 11e versement $= 800 - (5\ 000)(10\%) = 300$ $

Remboursement de capital inclus dans le 12e versement $= 800 - [(5\ 000 - 300)(0,10)] = 330$ $

40. Le taux effectif annuel correspondant à un taux nominal de 10% capitalisé semestriellement est égal à :

$r = \left(1 + \frac{0,10}{2}\right)^2 - 1 = 10,25\%$. En utilisant l'équation (3.17), on trouve que la valeur actualisée de cette perpétuité en croissance à taux constant correspond à :

$$V_p = \frac{3\ 000}{0,1025 - 0,10} = 1\ 200\ 000\ \$$$

41. $V_p = 100\, A_{\overline{3}|12\%}(1+0,12)^{-3} + 200\, A_{\overline{3}|12\%}(1+0,12)^{-7}$

$V_p = 388,25$ $

42. $V_p = \left(\frac{100}{0,14 - 0,08}\right)(1+0,14)^{-3} = 1\ 124,95$ $

43. $j = (1+0,14)^{1/1/3} - 1 = 48,1544\%$

$$V_p = \frac{1\ 000(1+0,481544)}{0,481544} = 3\ 076,65\ \$$$

44. Taux mensuel équivalent à 10% capitalisé semestriellement :

$$j = \left(1 + \frac{0,10}{2}\right)^{2/12} - 1 = 0,008164846$$

Taux mensuel équivalent à 8% capitalisé trimestriellement :

$$j = \left(1 + \frac{0,08}{4}\right)^{4/12} - 1 = 0,006622710$$

Taux mensuel équivalent à 12% capitalisé mensuellement : $i = \frac{0,12}{12} = 0,01$

Par conséquent :

$$\begin{aligned}\text{Valeur accumulée des versements dans 15 ans} &= 500\, S_{\overline{60}|0,8164846\%}(1+0,006622710)^{60}(1+0,01)^{60} \\ &\quad + 500\, S_{\overline{60}|0,6622710\%}(1+0,01)^{60} + 500\, S_{\overline{60}|1\%} \\ &= 211\ 450,40\ \$\end{aligned}$$

45. $60\ 000\left[\frac{1-(1+i)^{-10}}{i}\right] = 70\ 000\left[\frac{1-(1+i)^{-8}}{i}\right]$

Par approximations successives, on trouve : $i \approx 8,12\%$. En ayant recours à la fonctionnalité *Valeur cible* sur Excel, on obtient rapidement ce résultat.

46. $g = \frac{2300}{2000} - 1 = 15\%$

d'où : $V_p = \underbrace{[(20)(2\ 000)(1+0,15)^{-1}]}_{\text{(équation 3.9a)}}(1+0,15)^{-3}$

$V_p = 22\ 870,13\ \$$

47. $25\ 000\left(1+\begin{matrix}\text{taux de rendement}\\ \text{effectif annuel}\end{matrix}\right)^5 = 1000\,S_{\overline{10}|6\%} + 25\ 000$

d'où : taux de rendement effectif annuel = 8,84%

48. $100\ 000 = \frac{10\ 000(1+j)}{j}$

$10\ 000\ j = 10\ 000 + 10\ 000\ j$

$90\ 000\ j = 10\ 000 \Rightarrow j = \frac{10\ 000}{90\ 000} = 11,11\%$

Le taux d'intérêt nominal capitalisé semestriellement est donc :

$(1+0,1111) = \left(1+\frac{i_2}{2}\right)^2$ d'où : $i_2 = [(1,1111)^{1/2} - 1] \times 2 = 10,82\%$

49. $5000 = R\left[\frac{1-\left(\frac{1+0,07}{1+0,06}\right)^{25}}{0,06-0,07}\right]$

d'où : R = 188,98 $

et

Montant total déboursé = $188,98 + 188,98(1,07) + \ldots + 188,98(1,07)^{24}$

L'expression précédente représente la somme des termes d'une progression géométrique dont la valeur est égale à :

$$\frac{a(r^n-1)}{r-1} = 188,98\left[\frac{(1,07)^{25}-1}{1,07-1}\right]$$

$$= 11\ 952,80\ \$$$

50. $\sum_{t=1}^{20} S_{\overline{t}|12\%}$

$$= S_{\overline{1}|12\%} + S_{\overline{2}|12\%} + \ldots + S_{\overline{20}|12\%}$$

$$= \left[\frac{(1+0,12)^1 - 1}{0,12}\right] + \left[\frac{(1+0,12)^2 - 1}{0,12}\right] + \ldots + \left[\frac{(1+0,12)^{20} - 1}{0,12}\right]$$

$$= \frac{1}{0,12}[(1+0,12)^1 - 1 + (1+0,12)^2 - 1 + \ldots + (1+0,12)^{20} - 1]$$

$$= \frac{1}{0,12}[\underbrace{(1+0,12)^1 + (1+0,12)^2 + \ldots + (1+0,12)^{20}}_{\text{Somme des termes d'une prog. géomét.}} - 20]$$

$$= \frac{1}{0,12}\left[(1,12)\left\{\frac{(1,12)^{20} - 1}{(1,12) - 1}\right\} - 20\right] = 505,82\ \$$$

Chapitre 4

L'évaluation des actifs financiers

Série A

1.

a) F	b) F	c) V	d) F	e) F	f) F	g) F	h) F	i) F
j) V	k) F	l) F	m) V	n) V	o) F	p) V		

2. Taux de rendement nominal annuel $= \left(\frac{10\ 000 - 9875}{9875}\right)\left(\frac{365}{70}\right)$

$= 6{,}60\%$

3. $0{,}05 = \left(\frac{10\ 000 - P}{P}\right)\left(\frac{365}{80}\right)$

$$(0{,}05)\left(\frac{80}{365}\right) = \frac{10\ 000 - P}{P}$$

$$0{,}0109589 = \frac{10\ 000 - P}{P}$$

$$0{,}0109589P = 10\ 000 - P$$

$$1{,}0109589P = 10\ 000$$

$$P = \frac{10\ 000}{1{,}0109589} = 9891{,}60\ \$$$

4. $V = 60\,A_{\overline{36}|8\%} + 1\ 000(1 + 0{,}08)^{-36}$

$V = 765{,}66\ \$$

5. Coupons semestriels = 1 000 × 4,5% = 45 $

$890 = 45A_{\overline{40}|i} + 1000(1+i)^{-40}$

d'où : $i = 5{,}155\%$

et

r = taux effectif annuel

$= (1 + 0{,}05155)^2 - 1$

$= 10{,}58\%$

Avec la calculatrice financière, on trouve rapidement la valeur de « i » en procédant comme suit :

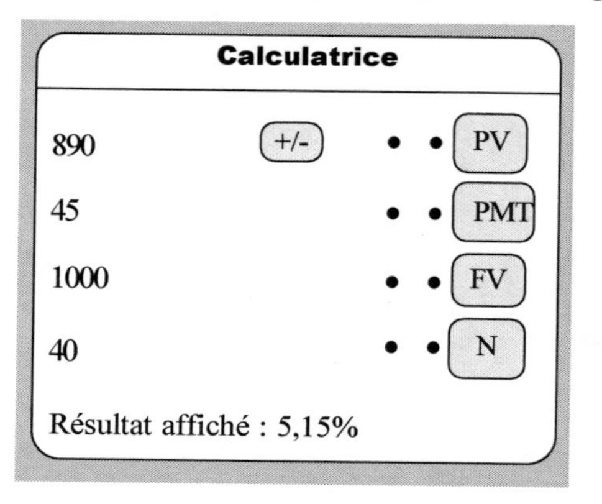

Le taux de rendement effectif annuel (r) est donc égal à : $(1 + 0{,}0515)^2 - 1 = 10{,}58\%$.

6. a) $874{,}50 = 50\,A_{\overline{24}|i} + 1\,000(1+i)^{-24}$

d'où : $i = 6\%$ et r = taux effectif annuel $= (1 + 0{,}06)^2 - 1 = 12{,}36\%$
Puisque 12,36% < 14%, on ne devrait pas en acheter au cours actuel.

b) Prix maximum à payer $= 50\,A_{\overline{24}|6,77\%*} + 1\,000(1+0{,}0677)^{-24} = 792{,}83$ \$

$*i = (1 + 0{,}14)^{1/2} - 1 = 6{,}77\%$

c) À leur valeur nominale, soit 1 000 \$.

7. 10%. (Aucun calcul n'est nécessaire).

8. Valeur au 1er avril 2011 $= 60\,A_{\overline{11}|7\%} + 1\,000(1+0{,}07)^{-11} = 925{,}01$ \$

Montant total de la transaction le 1er août 2011 $= 925{,}01(1+0{,}07)^{4/6} = 967{,}69$ \$

9. $32 = \dfrac{0{,}75}{k_{trimest.}}$

d'où : $k_{trimest.} = 0{,}023438$
et $k_{eff.\ annuel} = (1 + 0{,}023438)^4 - 1 = 9{,}71\%$

10. Valeur marchande totale des actions $= (10)(100)\,A_{\overline{5}|12\%} + (100)(104)(1+0{,}12)^{-5}$
$= 9\,506{,}02$ \$

11. a) $V = \dfrac{2{,}50}{0{,}17} = 14{,}71$ \$

b) $V = \dfrac{2{,}50(1+0{,}10)}{0{,}17 - 0{,}10} = 39{,}29$ \$

c) $V = \dfrac{2{,}50(1-0{,}03)}{0{,}17 + 0{,}03} = 12{,}13$ \$

11. d)

$$V = 2,50(1+0,14)\left[\frac{1-\left(\frac{1+0,14}{1+0,17}\right)^5}{0,17-0,14}\right] + \frac{(1+0,17)^{-5}(2,50)(1+0,14)^5(1+0,06)}{0,17-0,06}$$

$$= 32,73\ \$$$

Avec la calculatrice financière, on procède comme suit (voir l'exemple 4.11 et, plus particulièrement, la page 131 du volume) :

Calculatrice

Durée (en années) de la croissance anormale = 5	• •	N
Taux d'actualisation rajusté : $y = \left(\frac{1+0,17}{1+0,14}\right) - 1 = 2,6315789\%$ On doit donc entrer 2,6315789 comme taux d'actualisation.		
2,6315789	• •	I/Y
$D_0 = 2,50$	• •	PMT
Selon l'équation (4.14), FV équivaut à $\frac{(1+g_n)D_0}{k-g_n} = \frac{(1+0,06)(2,50)}{0,17-0,06} = 24,0909$	• •	FV
COMP PV		
Résultat affiché : 32,73 $.		

e) $$V = 2,50(1+0,17)\left[\frac{1-\left(\frac{1+0,17}{1+0,17}\right)}{0,17-0,17}\right] + \frac{(1+0,17)^{-5}(2,50)(1+0,17)^5(1+0,08)}{0,17-0,08}$$

$$V = 2,50(1+0,17)\left[\frac{0}{0}\right] + \frac{(1+0,17)^{-5}(2,50)(1+0,17)^5(1+0,08)}{0,17-0,08}$$

Compte tenu que le taux de croissance supérieur à la normale du dividende (g_a) est égal au taux de rendement exigé par les actionnaires (k), le premier terme de l'expression (4.12) donne un résultat indéterminé (forme 0/0). Comme nous l'avons mentionné au chapitre 3, dans une telle situation, la valeur actualisée d'une annuité en progression géométrique se calcule à l'aide de l'équation (3.9a). On peut donc écrire :

$$V = \underbrace{(5)(2,50)(1+0,17)(1+0,17)^{-1}}_{\text{Expression (3.9a)}} + \frac{(1+0,17)^{-5}(2,50)(1+0,17)^{5}(1+0,08)}{0,17-0,08}$$

$$V = (5)(2,50) + \frac{(1+0,17)^{-5}(2,50)(1+0,17)^{5}(1+0,08)}{0,17-0,08}$$

$$V = 42,50\ \$$$

Il est également possible d'obtenir directement ce dernier résultat à l'aide de la calculatrice financière en suivant la démarche décrite à la page 131 du volume.

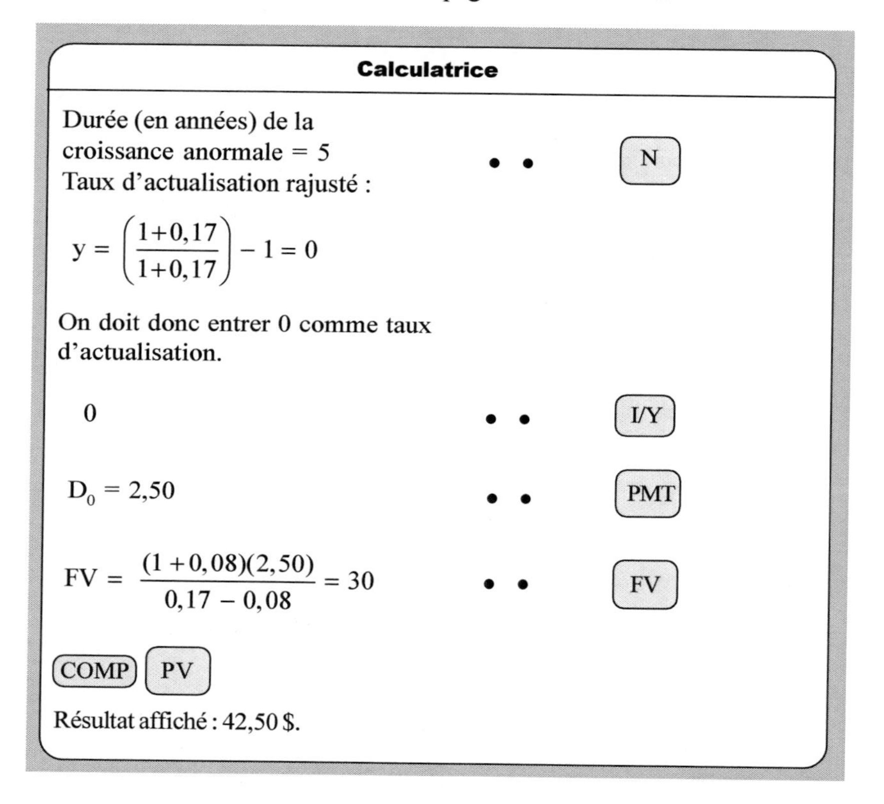

Calculatrice

Durée (en années) de la croissance anormale = 5 • • [N]

Taux d'actualisation rajusté :

$$y = \left(\frac{1+0,17}{1+0,17}\right) - 1 = 0$$

On doit donc entrer 0 comme taux d'actualisation.

0 • • [I/Y]

$D_0 = 2,50$ • • [PMT]

$$FV = \frac{(1+0,08)(2,50)}{0,17-0,08} = 30$$ • • [FV]

[COMP] [PV]

Résultat affiché : 42,50 $.

12. Prix maximum à payer = $1,25(1 + 0,16)^{-1} + 1,40(1 + 0,16)^{-2} + 1,60(1+0,16)^{-3} + 28(1+0,16)^{-3} = 21,08\ \$$

13. $20 = 38(1+k)^{-5}$

d'où : k = 13,70%

14. $15 = (25 + 1{,}50)(1+k)^{-7}$

$15 = 26{,}50(1+k)^{-7}$

d'où : k = 8,47%.

15. a) $V = \dfrac{1{,}30}{0{,}14 - 0{,}09} = 26\ \$$

b) $VAOC = 26 - \dfrac{3}{0{,}14} = 4{,}57\ \$$

c) La valeur actualisée des occasions de croissance augmenterait.

Série B

16. $849{,}54 = 50\,A_{\overline{n}|6\%} + 1\,000(1+0{,}06)^{-n}$ d'où : n = 40

$$\text{Prix de la seconde obligation} = 40\,A_{\overline{40}|6\%} + 1\,000(1+0{,}06)^{-40} = 699{,}07\ \$$$

17. $1\,000(1+r)^{20} = 50\,S_{\overline{40}|4\%} + 1\,000$ d'où : r = 9,14%

18. $970(1+r)^{12} = 35\,S_{\overline{6}|2\%}(1+0{,}04)^{18} + 35\,S_{\overline{18}|4\%} + 1\,000$ d'où : r = 7,63%

19. $$\text{Montant déboursé (en \$ CAN) lors de l'acquisition des titres} = \frac{(30)(978)}{0{,}68} = 43\,147{,}06\ \$$$

$$\begin{aligned}43\,147{,}06(1+r)^2 = {} & (30)(45)\left(\frac{1}{0{,}68}\right)(1+0{,}0344)^3 \\ & + (30)(45)\left(\frac{1}{0{,}70}\right)(1+0{,}0344)^2 \\ & + (30)(45)\left(\frac{1}{0{,}71}\right)(1+0{,}0344)^1 \\ & + (30)(45)\left(\frac{1}{0{,}72}\right)(1+0{,}0344)^0 \\ & + (30)(1000)\left(\frac{1}{0{,}72}\right)\end{aligned}$$

$43\,147{,}06(1+r)^2 = 49\,769{,}80$

d'où : r = 7,40%.

Note : $0{,}0344 = \text{Taux de rendement semestriel équivalent des placements canadiens} = (1+0{,}07)^{1/2} - 1$

20. $(100)(20)(1+r)^3 = (100)(0{,}50)S_{\overline{12}|2\%} + (100)(22)$ d'où : r = 12,80%

21.

$$\text{Valeur intrinsèque} = \frac{1,50(1,10)}{(1+0,14)} + \frac{1,50(1,10)(1,08)}{(1+0,14)^2} + \frac{1,50(1,10)(1,08)(1,06)}{(1+0,14)^3}$$

$$+ \frac{1,50(1,10)(1,08)(1,06)(1,04)}{(1+0,14)^4} + \left(\frac{1,50(1,10)(1,08)(1,06)(1,04)(1,02}{0,14}\right)(1+0,14)^{-4}$$

$= 13,73$ \$. L'action est donc surévaluée.

22.

$$V = \frac{2,20}{(1+0,14)} + \frac{2,42}{(1+0,14)^2} + \left(\frac{2,50}{0,14}\right)(1+0,14)^{-2}$$

$V = 17,53$ \$

23.

$$\begin{matrix}\text{Prix maximum} \\ (g=7\% \text{ et } k=12\%)\end{matrix} = \frac{1,70(1+0,07)}{0,12-0,07} = 36,38 \text{ \$}$$

$$\begin{matrix}\text{Prix minimum} \\ (g=6\% \text{ et } k=14\%)\end{matrix} = \frac{1,70(1+0,06)}{0,14-0,06} = 22,53 \text{ \$}$$

24.

$$V = 2,20\,A_{\overline{3}|15\%} + \left(\frac{2,20(1,08)}{0,15-0,08}\right)(1+0,15)^{-3}$$

$V = 27,34$ \$

25.

$$\text{Valeur intrinsèque} = \frac{2(1+0,15)}{(1+0,15)^1} + \frac{2(1+0,15)(1+0,12)}{(1+0,15)^2} + \frac{2(1+0,15)(1+0,12)(1+0,09)}{(1+0,15)^3}$$

$$+ \frac{2(1+0,15)(1+0,12)(1+0,09)(1+0,06)\,A_{\overline{7}|15\%}}{(1+0,15)^3} + \left(\frac{2,50}{0,15}\right)(1+0,15)^{-10} = 18,06 \text{ \$}$$

L'action est donc surévaluée.

26.

$$\begin{matrix}\text{Taux trimestriel équivalent à 10\%} \\ \text{capitalisé semestriellement}\end{matrix} = \left(1+\frac{0,10}{2}\right)^{2/4} - 1 = 2,4695\%$$

$$10)(80)(1+0,12)^4 = (10)(2)\,S_{\overline{16}|2,4695\%} + (10)(P)$$

$$1\,258,82 = 386,68 + 10P$$

$$\text{d'où : } P = \frac{1\,258,82 - 386,68}{10} = 87,21 \text{ \$}$$

27. La valeur intrinsèque de l'action (V) peut se calculer ainsi :

$V = V_1 + V_2 + V_3$

où

$$V_1 = 0,80(1+0,20)\left[\frac{1-\left(\frac{1+0,20}{1+0,15}\right)^6}{0,15-0,20}\right] = 5,59 \text{ \$}$$

$$V_2 = \frac{0,80(1+0,20)^6(1+0,15)}{(1+0,15)^7} + \frac{0,80(1+0,20)^5(1+0,15)^2}{(1+0,15)^8}$$

$$+ \cdots + \frac{0,80(1+0,20)^6(1+0,15)^8}{(1+0,15)^{14}}$$

$$= \frac{(8)(0,80)(1+0,20)^6}{(1+0,15)^6} = 8,26\ \$$$

$$V_3 = \left[\frac{0,80(1+0,20)^6(1+0,15)^8(1+0,06)}{0,15-0,06}\right](1+0,15)^{-14}$$

$$= 12,16\ \$$$

$V = 5,59 + 8,26 + 12,16 = 26,01\ \$$

L'action est donc sous-évaluée (26,01 \$ > 20 \$).

28.

$$V = 0,60(1+0,20)\left[\frac{1-\left(\frac{1+0,20}{1+0,15}\right)^6}{0,15-0,20}\right]$$

$$+0,60(1+0,20)^6(1+0,15)\left[\frac{1-\left(\frac{1+0,15}{1+0,08}\right)^8}{0,08-0,15}\right](1+0,15)^{-6}$$

$$+\left[\frac{0,60(1+0,20)^6(1+0,15)^8(1+0,04)}{0,08-0,04}\right](1+0,08)^{-8}(1+0,15)^{-6}$$

$V = 45,78\ \$ > 25\ \$$. L'action est donc sous-évaluée.

29. a) La valeur intrinsèque de l'action (V) peut se calculer ainsi :

$V = V_1 + V_2 + V_3 + V_4$

où

$$V_1 = 0,70(1-0,06)\left[\frac{1-\left(\frac{1-0,06}{1+0,15}\right)^6}{0,15-(-0,06)}\right] = 2,20\ \$$$

$$V_2 = 0,70(1-0,06)^6 A_{\overline{5}|15\%}(1+0,15)^{-6} = 0,70\ \$$$

$$V_3 = 0,70(1-0,06)^6(1+0,10)\left[\frac{1-\left(\frac{1+0,10}{1+0,15}\right)^9}{0,15-0,10}\right](1+0,15)^{-11} = 0,75\ \$$$

$$V_4 = \left[\frac{0,70(1-0,06)^6(1+0,10)^9(1+0,14)}{0,15-0,14}\right](1+0,15)^{-20} = 7,93\ \$$$

$V = 2,20 + 0,70 + 0,75 + 7,93 = 11,58\ \$$

L'action est donc surévaluée (11,58 \$ < 15 \$).

29. b) 1. Diminution
2. Augmentation
3. La valeur de l'action serait infinie.

Chapitre 5

La relation risque-rendement

Série A

1. a) F b) V c) V d) V e) V f) F g) F h) V i) F j) F k) F l) V
m) F n) F o) V p) F q) V r) V s) F t) V u) F v) F w) V x) F

2. e

3. b

$$x_2 = \frac{\sigma^2(R_1) - Cov(R_1, R_2)}{\sigma^2(R_2) + \sigma^2(R_1) - 2Cov(R_1, R_2)}$$

et

$$Cov(R_1, R_2) = \rho(R_1, R_2)\sigma(R_1)\sigma(R_2)$$
$$= (-1)(0{,}20)(0{,}10) = -0{,}02$$

d'où : $x_2 = \dfrac{(0{,}20)^2 - (-0{,}02)}{(0{,}10)^2 + (0{,}20)^2 - (2)(-0{,}02)} = 66{,}7\%$

4. c

5. a

6. a

7. b

$$\beta_p = \frac{\rho(R_p, R_M)\sigma(R_p)}{\sigma(R_M)}$$

$$1{,}30 = \frac{(1)\sigma(R_p)}{0{,}15}$$

d'où : $\sigma(R_p) = 19{,}50\%$

8. a) $E(R_A) = \dfrac{0{,}05 - 0{,}10 + 0{,}10 + 0{,}18 + 0{,}02 + 0{,}09 + 0{,}10}{7} = 0{,}0629$

b) Il faut tout d'abord calculer $E(R_B)$. On obtient :

$$E(R_B) = \frac{0{,}10 - 0{,}14 - 0{,}03 + 0{,}07 + 0{,}01 + 0{,}06 + 0{,}05}{7} = 0{,}0171$$

$$\begin{aligned}\text{d'où : } Cov(R_A, R_B) = [&(0{,}05 - 0{,}0629) \cdot (0{,}10 - 0{,}0171)\\ &+(-0{,}10 - 0{,}0629) \cdot (-0{,}14 - 0{,}0171)\\ &+(0{,}10 - 0{,}0629) \cdot (-0{,}03 - 0{,}0171)\\ &+(0{,}18 - 0{,}0629) \cdot (0{,}07 - 0{,}0171)\\ &+(0{,}02 - 0{,}0629) \cdot (0{,}01 - 0{,}0171)\\ &+(0{,}09 - 0{,}0629) \cdot (0{,}06 - 0{,}0171)\\ &+(0{,}10 - 0{,}0629) \cdot (0{,}05 - 0{,}0171)] \div 6 = 0{,}0053\end{aligned}$$

c) Le coefficient de corrélation se calcule ainsi :

$$\rho(R_A, R_B) = \frac{Cov(R_A, R_B)}{\sigma(R_A) \cdot \sigma(R_B)}$$

$$\begin{aligned}\sigma^2(R_A) = [&(0{,}05 - 0{,}0629)^2 + (-0{,}10 - 0{,}0629)^2 + (0{,}10 - 0{,}0629)^2\\ &+(0{,}18 - 0{,}0629)^2 + (0{,}02 - 0{,}0629)^2 + (0{,}09 - 0{,}0629)^2\\ &+(0{,}10 - 0{,}0629)^2] \div 6 = 0{,}007624\end{aligned}$$

et

$$\sigma(R_A) = 0{,}0873$$

$$\begin{aligned}\sigma^2(R_B) = [&(0{,}10 - 0{,}0171)^2 + (-0{,}14 - 0{,}0171)^2 + (-0{,}03 - 0{,}0171)^2\\ &+(0{,}07 - 0{,}0171)^2 + (0{,}01 - 0{,}0171)^2 + (0{,}06 - 0{,}0171)^2\\ &+(0{,}05 - 0{,}0171)^2] \div 6 = 0{,}00659\end{aligned}$$

et

$$\sigma(R_B) = 0{,}0812$$

$$\text{d'où : } \rho(R_A, R_B) = \frac{0{,}0053}{(0{,}0873)(0{,}0812)} = 0{,}7477$$

En s'inspirant de la démarche proposée à l'exemple 5.6 du volume, on peut effectuer rapidement les calculs statistiques précédents. Le tableau de la page suivante résume la procédure à suivre avec la calculatrice SHARP EL-738.

Calculatrice

Étape 1 : Calcul du coefficient de corrélation linéaire entre les rendements des titres A et B

Affichage

Appuyez sur (MODE)

Choisissez STAT en appuyant sur (1)

Sélectionnez LINE en appuyant sur (1)

NORMAL		STAT
0		1
SD	LINE	QUAD
0	1	2
	Stat 1	

Appuyez sur (2ndF) (CA) pour effacer, le cas échéant, les données déjà en mémoire.

Entrez les données de la façon suivante :

0.05 (x,y)	0.10 (x,y)	1	(ENT)	DATA SET=1
0.10 (+/-) (x,y)	0.14 (+/-) (x,y)	1	(ENT)	DATA SET=2
0.10 (x,y)	0.03 (+/-) (x,y)	1	(ENT)	DATA SET=3
0.18 (x,y)	0.07 (x,y)	1	(ENT)	DATA SET=4
0.02 (x,y)	0.01 (x,y)	1	(ENT)	DATA SET=5
0.09 (x,y)	0.06 (x,y)	1	(ENT)	DATA SET=6
0.10 (x,y)	0.05 (x,y)	1	(ENT)	DATA SET=7

Appuyez sur (RCL) (r)

L'écran affiche alors la valeur du coefficient de corrélation entre les rendements des deux titres A et B, soit 0,7443.

Étape 2 : Estimation de l'écart-type du rendement du titre A

Appuyez sur (RCL) (Sx)

Résultat affiché : 0,0873

Étape 3 : Estimation de l'écart-type du rendement du titre B

Appuyez sur (RCL) (Sy)

Résultat affiché : 0,0812

Étape 4 : Calcul de la covariance entre les rendements des titres A et B

La covariance correspond au coefficient de corrélation multiplié par le produit des écarts-types, soit :

$$\text{Cov}(R_A, R_B) = (0{,}7443)(0{,}0873)(0{,}0812) = 0{,}0053$$

Calculatrice (suite)

Étape 5 : Estimation du rendement espéré du titre A

Appuyez sur (RCL) ($\bar{x}$)

Résultat affiché : 0,0629 ou 6,29%

Le rendement espéré du titre A est estimé par la moyenne arithmétique des rendements observés au cours des dernières années.

Étape 6 : Estimation du rendement espéré du titre B

Appuyez sur (RCL) ($\bar{y}$)

Résultat affiché : 0,0171 ou 1,71%

d) i) $E(R_p) = (0,60)(0,0629) + (0,40)(0,0171) = 0,0446$

ii) $\sigma^2(R_p) = (0,60)^2(0,0873)^2 + (0,40)^2(0,0812)^2 + (2)(0,60)(0,40)(0,0053) = 0,0063$

9. a) Il faut calculer en premier lieu $E(R_X)$. On obtient :

$E(R_X) = (0,20)(0,14) + (0,10)(0,04) + (0,25)(0,21) + (0,30)(0,14) + (0,15)(0,04)$

$E(R_X) = 0,1325$

d'où :

$\sigma^2(R_X) = 0,20\,(0,14 - 0,1325)^2 + 0,10\,(0,04 - 0,1325)^2 + 0,25\,(0,21 - 0,1325)^2$
$+ 0,30\,(0,14 - 0,1325)^2 + 0,15\,(0,04 - 0,1325)^2$

$\sigma^2(R_X) = 0,00367$

b) Il faut calculer en premier lieu $E(R_Y)$. On obtient :

$E(R_Y) = (0,20)(0,08) + (0,10)(0,11) + (0,25)(0,16) + (0,30)(0,11) + (0,15)(0,16)$

$E(R_Y) = 0,1240$

d'où :

$\sigma^2(R_Y) = 0,20\,(0,08 - 0,1240)^2 + 0,10\,(0,11 - 0,1240)^2 + 0,25\,(0,16 - 0,1240)^2$
$+ 0,30\,(0,11 - 0,1240)^2 + 0,15\,(0,16 - 0,1240)^2$

$\sigma^2(R_Y) = 0,00098$

c) $Cov(R_X, R_Y) = 0,20\,(0,14 - 0,1325) \cdot (0,08 - 0,1240)$
$+ 0,10\,(0,04 - 0,1325) \cdot (0,11 - 0,1240)$
$+ 0,25\,(0,21 - 0,1325) \cdot (0,16 - 0,1240)$
$+ 0,30\,(0,14 - 0,1325) \cdot (0,11 - 0,1240)$
$+ 0,15\,(0,04 - 0,1325) \cdot (0,16 - 0,1240)$

$Cov(R_X, R_Y) = 0,00023$

Remarque. En suivant la démarche utilisée à l'exemple 5.5 du volume, on peut effectuer rapidement les calculs statistiques nécessaires pour répondre aux questons (a), (b) et (c) de cet exercice.

d) i) $E(R_p) = (6/12)(0{,}08) + (4/12)(0{,}1325) + (2/12)(0{,}1240)$

$E(R_p) = 0{,}1048$

ii) $\sigma^2(R_p) = (4/12)^2 (0{,}00367) + (2/12)^2 (0{,}00098) + (2)(4/12)(2/12)(0{,}00023)$

$\sigma^2(R_p) = 0{,}00046$

Remarque. Variance du taux de rendement des bons du Trésor = 0
Covariance entre les rendements des bons du Trésor et les rendements du titre X = 0
Covariance entre les rendements des bons du Trésor et les rendements du titre Y = 0

e) $$x_X = \frac{\sigma^2(R_Y) - Cov(R_X, R_Y)}{\sigma^2(R_X) + \sigma^2(R_Y) - 2Cov(R_X, R_Y)}$$

$$x_X = \frac{0{,}00098 - 0{,}00023}{0{,}00367 + 0{,}00098 - (2)(0{,}00023)} = 0{,}179$$

d'où : Montant à investir dans le titre X : (0,179) (12 000) = 2 148 $

f) Il s'agit de construire différents portefeuilles en faisant varier la proportion des fonds investis-dans chacun des titres.

Portefeuille # 1

$x_X = 0\%$ et $x_Y = 100\%$

$E(R_p) = 0{,}1240$

$\sigma(R_p) = (0{,}00098)^{1/2} = 0{,}0313$

Portefeuille # 2

$x_X = 25\%$ et $x_Y = 75\%$

$E(R_p) = (0{,}25)\ (0{,}1325) + (0{,}75)\ (0{,}1240) = 0{,}1261$

$\sigma(R_p) = [(0{,}25)^2\ (0{,}00367) + (0{,}75)^2\ (0{,}00098) + (2)\ (0{,}25)\ (0{,}75)\ (0{,}00023)]^{1/2}$

$\sigma(R_p) = 0{,}0294$

Portefeuille # 3

$x_X = 50\%$ et $x_Y = 50\%$

$E(R_p) = (0{,}50)\ (0{,}1325) + (0{,}50)\ (0{,}1240) = 0{,}1283$

$\sigma(R_p) = [(0{,}50)^2\ (0{,}00367) + (0{,}50)^2\ (0{,}00098) + (2)\ (0{,}50)\ (0{,}50)\ (0{,}00023)]^{1/2}$

$\sigma(R_p) = 0{,}0357$

Portefeuille # 4

$x_X = 75\%$ et $x_Y = 25\%$

$E(R_p) = (0{,}75)\ (0{,}1325) + (0{,}25)\ (0{,}1240) = 0{,}1304$

$\sigma(R_p) = [(0{,}75)^2\ (0{,}00367) + (0{,}25)^2\ (0{,}00098) + (2)\ (0{,}75)\ (0{,}25)\ (0{,}00023)]^{1/2}$

$\sigma(R_p) = 0{,}0470$

Portefeuille # 5

$x_X = 100\%$ et $x_Y = 0\%$

$E(R_p) = 0{,}1325$

$\sigma(R_p) = (0{,}00367)^{1/2} = 0{,}0606$

Portefeuille # 6

Portefeuille à risque minimal

$x_X = 0{,}179$ et $x_Y = 0{,}821$

$E(R_p) = (0{,}179)(0{,}1325) + (0{,}821)(0{,}1240) = 0{,}1255$

$\sigma(R_p) = [(0{,}179)^2(0{,}00367) + (0{,}821)^2(0{,}00098) + (2)(0{,}179)(0{,}821)(0{,}00023)]^{1/2}$

$\sigma(R_p) = 0{,}0291$

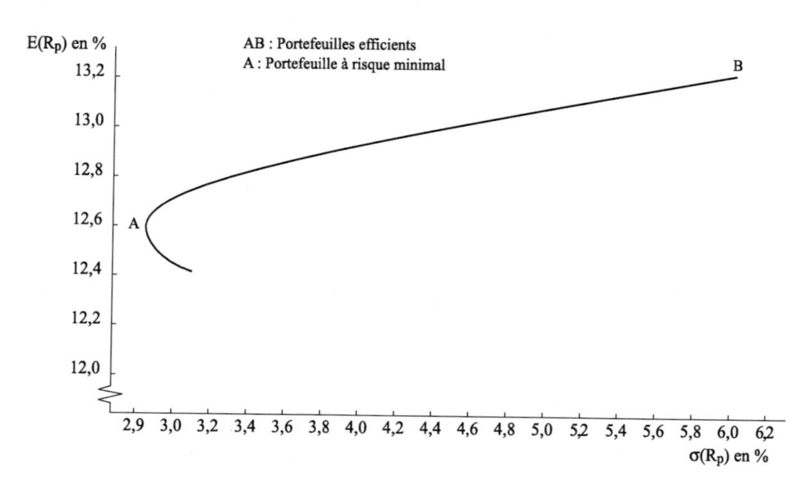

10. a) $E(R_p) = x_X\, E(R_X) + x_Y\, E(R_Y)$

$E(R_p) = (0{,}50)(0{,}10) + (0{,}50)(0{,}14) = 0{,}12$ ou 12%.

Lorsque $\rho = +1$, l'écart-type du taux de rendement du portefeuille se calcule ainsi :

$$\sigma(R_p) = [(0{,}50)^2(0{,}25)^2 + (0{,}50)^2(0{,}32)^2 + (2)(0{,}50)(0{,}50)(1)(0{,}25)(0{,}32)]^{1/2}$$
$$\sigma(R_p) = 0{,}285 \text{ ou } 28{,}5\%$$

b) $E(R_p) = 12\%$

Lorsque $\rho = 0$, l'écart-type du taux de rendement du portefeuille se calcule ainsi :

$$\sigma(R_p) = [(0{,}50)^2(0{,}25)^2 + (0{,}50)^2(0{,}32)^2 + (2)(0{,}50)(0{,}50)(0)(0{,}25)(0{,}32)]^{1/2}$$
$$\sigma(R_p) = 0{,}203 \text{ ou } 20{,}3\%$$

c) $E(R_p) = 12\%$

Lorsque $\rho = -1$, l'écart-type du taux de rendement du portefeuille vaut :

$$\sigma(R_p) = [(0{,}50)^2(0{,}25)^2 + (0{,}50)^2(0{,}32)^2 + (2)(0{,}50)(0{,}50)(-1)(0{,}25)(0{,}32)]^{1/2}$$
$$\sigma(R_p) = 0{,}035 \text{ ou } 3{,}5\%$$

Remarque. Le rendement espéré du portefeuille est le même dans tous les cas. Toutefois, plus le coefficient de corrélation s'approche de -1, plus le risque du portefeuille est faible.

11. $$P_0 = \frac{E(P_1)}{(1 + \text{Taux de rendement requis})}$$

$$\text{Taux de rendement requis} = r + [E(R_M) - r]\beta_i$$
$$= 0{,}10 + [0{,}15 - 0{,}10]1{,}8 = 0{,}19$$

d'où : $$P_0 = \frac{125}{(1+0{,}19)} = 105{,}04 \text{ \$}$$

12. $\text{Taux de rendement requis sur le titre A} = 0,08 + [0,15 - 0,08](1) = 15\%$

$\text{Taux de rendement requis (15\%)} > \text{Taux de rendement espéré (10\%)} \Rightarrow \text{surévalué}$

$\text{Taux de rendement requis sur le titre B} = 0,08 + [0,15 - 0,08](0,70) = 12,90\%$

$12,90\% < 14\% \Rightarrow \text{sous-évalué}$

$\text{Taux de rendement requis sur le titre C} = 0,08 + [0,15 - 0,08](2) = 22\%$

$22\% > 18\% \Rightarrow \text{surévalué}$

$\text{Taux de rendement requis sur le titre D} = 0,08 + [0,15 - 0,08](1) = 15\%$

$15\% < 22\% \Rightarrow \text{sous-évalué}$

$\text{Taux de rendement requis sur le titre E} = 0,08 + [0,15 - 0,08](1,80) = 20,60\%$

$20,60\% < 30\% \Rightarrow \text{sous-évalué}$

13. a) On utilise la CML :

$$E(R_p) = 0,10 + [0,15 - 0,10]\left(\frac{0,40}{0,30}\right) = 16,67\%$$

b) $0,40 = (x_M)(0,30)$
$\Rightarrow x_M = 1,333$
et

$\text{Montant à investir dans le portefeuille de marché} = (1,3333)(10\ 000) = 13\ 333\ \$$

Il doit donc emprunter 3 333 $ au taux sûr (10%).

14. a) P(Rendement > 40%)

$$= P\left(Z > \frac{0,40 - 0,10}{0,30}\right)$$

$= P(Z > 1)$

À l'aide de la table de la loi normale centrée réduite (table 5), on obtient $0,50 - 0,3413 = 0,1587$, soit pratiquement 16 chances sur 100.

b) En utilisant la table de la loi normale centrée réduite, on trouve que la VaR à 95% se situe à -1,64 écart-type du rendement espéré de l'action ordinaire. Par conséquent :

VaR à 95% = 250 000[0,10 - (1,64)(0,30)] = - 98 000 $

c) Elle aurait avantage à diversifier son portefeuille, de façon à en réduire le risque.

15. a) En utilisant la table de la loi normale centrée réduite, on trouve que la VaR à 99% se situe à -2,33 écarts-types de l'espérance mathématique du gain quotidien. Par conséquent :
VaR(99%, 1 jour) = 3 000 -(2,33)(42 000) = - 94 860 $

b) VaR(99%, 30 jours) = $\sqrt{30}(-94\ 860)$ = -519 569,62 $

Série B

16. a) $R_1 = [(8 - 10) + 0{,}50]/10 = -15\%$
$R_2 = [(10 - 10) + 0{,}50]/10 = 5\%$
$R_3 = [(14 - 10) + 0{,}50]/10 = 45\%$
$R_4 = [(18 - 10) + 0{,}50]/10 = 85\%$
d'où : $E(R_{EXL}) = (0{,}15)(-0{,}15) + (0{,}35)(0{,}05) + (0{,}30)(0{,}45) + (0{,}20)(0{,}85) = 30\%$

b) $R_1 = [(14 - 20) + 0{,}50]/20 = -27{,}5\%$
$R_2 = [(20 - 20) + 0{,}50]/20 = 2{,}5\%$
$R_3 = [(26 - 20) + 0{,}50]/20 = 32{,}5\%$
$R_4 = [(34 - 20) + 0{,}50]/20 = 72{,}5\%$
d'où : $E(R_{PEP}) = (0{,}15)(-0{,}275) + (0{,}35)(0{,}025) + (0{,}30)(0{,}325) + (0{,}20)(0{,}725) = 21\%$

c) $\sigma^2(R_{EXL}) = (0{,}15)(-0{,}15 - 0{,}30)^2 + (0{,}35)(0{,}05 - 0{,}30)^2 + (0{,}30)(0{,}45 - 0{,}30)^2 + (0{,}20)(0{,}85 - 0{,}30)^2$
$= 0{,}1195$
et $\sigma(R_{EXL}) = 34{,}57\%$

d) $\sigma^2(R_{PEP}) = (0{,}15)(-0{,}275 - 0{,}21)^2 + (0{,}35)(0{,}025 - 0{,}21)^2 + (0{,}30)(0{,}325 - 0{,}21)^2 + (0{,}20)(0{,}725 - 0{,}21)^2$
$= 0{,}104275$
et $\sigma(R_{PEP}) = 32{,}29\%$

e) $Cov(R_{EXL}, R_{PEP}) = 0{,}15\ (-0{,}15 - 0{,}30)\ (-0{,}275 - 0{,}21) + 0{,}35\ (0{,}05 - 0{,}30)\ (0{,}025 - 0{,}21) + 0{,}30\ (0{,}45 - 0{,}30)\ (0{,}325 - 0{,}21) + 0{,}20\ (0{,}85 - 0{,}30)\ (0{,}725 - 0{,}21)$
$= 0{,}11075$

et $\rho(R_{EXL}, R_{PEP}) = \dfrac{0{,}11075}{(0{,}3457)(0{,}3229)} = 0{,}9921$

f) 1. $E(R_p) = (1)\ (0{,}30) = 30\%$
2. $\sigma(R_p) = 34{,}57\%$
3. $E(R_p) = (0{,}75)(0{,}30) + (0{,}25)\ (0{,}21) = 27{,}75\%$
4. $\sigma(R_p) = [(0{,}75)^2(0{,}1195) + (0{,}25)^2(0{,}104275) + (2)\ (0{,}75)\ (0{,}25)\ (0{,}11075)]^{1/2} = 33{,}95\%$
5. $E(R_p) = (0{,}50)\ (0{,}30) + (0{,}50)\ (0{,}21) = 25{,}50\%$
6. $\sigma(R_p) = [(0{,}50)^2(0{,}1195) + (0{,}50)^2(0{,}104275) + (2)\ (0{,}50)\ (0{,}50)\ (0{,}11075)]^{1/2} = 33{,}36\%$

g) 1. $E(R_p) = \left(\dfrac{6000}{10\ 000}\right)(0{,}30) + \left(\dfrac{12\ 000}{10\ 000}\right)(0{,}21) + \left(\dfrac{-8000}{10\ 000}\right)(0{,}12) = 33{,}60\%$

2. $\sigma(R_p) = [(0{,}60)^2(0{,}1195) + (1{,}20)^2(0{,}104275) + 0 + (2)\ (0{,}60)\ (1{,}20)\ (0{,}11075) + 0 + 0]^{1/2} = 59{,}38\%$

17. a) **Compagnie TFP**

$$R_{XX+1} = \frac{(36-30)+1{,}60}{30} = 25{,}33\%$$

$$R_{XX+2} = \frac{(38-36)+1{,}60}{36} = 10\%$$

$$R_{XX+3} = \frac{(35-38)+1{,}60}{38} = -3{,}68\%$$

$$R_{XX+4} = \frac{(43-35)+1{,}60}{35} = 27{,}43\%$$

Compagnie XUP

$$R_{XX+1} = \frac{(29)(1,38)-(40)(1,35)}{(40)(1,35)} = -25,89\%$$

$$R_{XX+2} = \frac{(49)(1,45)-(29)(1,38)}{(29)(1,38)} = 77,54\%$$

$$R_{XX+3} = \frac{(35)(1,56)-(49)(1,45)}{(49)(1,45)} = -23,15\%$$

$$R_{XX+4} = \frac{(42)(1,58)-(35)(1,56)}{(35)(1,56)} = 21,54\%$$

b) Valeur du portefeuille en dollars canadiens $= (300)(43) + (800)(42)(1,58)$

$$+ (300)(1,60)(1+0,05)^3 + (300)(1,60)(1+0,05)^2$$

$$+ (300)(1,60)(1+0,05) + (300)(1,60)$$

$$= 68\ 056,86\ \$$$

18. Soit,

P : Prix de revente d'une action.

Il s'agit de résoudre l'équation suivante :

$(500)(P) - 25 - (0,03)(500) - (500)(8,60) - 25 - (0,03)(500) = 0$

$500P - 4\ 380 = 0$

d'où : $P = \frac{4\ 380}{500} = 8,76\ \$$

19. Il s'agit d'utiliser le CAPM. Selon ce modèle, on a :

$$E(R_i) = r + [E(R_M) - r]\beta_i$$

où: $\beta_i = \frac{\rho(R_i, R_M)\sigma(R_i)}{\sigma(R_M)}$

1) Calcul de β_C

Si $E(R_C) = E(R_D)$, on doit nécessairement avoir $\beta_C = \beta_D$. D'où: $\beta_C = 0,40$.

2) Calcul de $\rho(R_C, R_M)$

$$\rho(R_C, R_M) = \frac{\beta_C\, \sigma(R_M)}{\sigma(R_C)} = \frac{(0,40)(0,20)}{0,20} = 0,40$$

3) Calcul de β_A

Puisque $Cov(R_A,R_M) = 5\ Cov(R_C,R_M)$, $\beta_A = 5\ \beta_C = (5)(0,40) = 2$

4) Calcul de $\rho(R_A, R_M)$

$$\rho(R_A, R_M) = \frac{\beta_A\, \sigma(R_M)}{\sigma(R_A)} = \frac{(2)(0,20)}{0,40} = 1$$

5) Calcul de $E(R_B)$

Puisque $\beta_A = \beta_B$, on doit nécessairement avoir $E(R_A) = E(R_B)$. D'où : $E(R_B) = 20\%$.

6) Calcul de $\sigma(R_B)$

$$\sigma(R_B) = \frac{\beta_B\, \sigma(R_M)}{\rho(R_B, R_M)} = \frac{(2)(0,20)}{0,50} = 0,80$$

20. On utilise l'expression suivante :

$\beta_p = x_j\beta_j + x_s\beta_s$

où : x_j : Proportion des fonds à investir dans le titre j

β_j : Coefficient bêta du titre j

$$= \frac{\rho(R_j, R_M)\sigma(R_j)}{\sigma(R_M)} = \frac{(0{,}80)(0{,}25)}{0{,}20} = 1$$

x_s : Proportion des fonds à investir dans les bons du Trésor = $1 - x_j$

β_s : Coefficient bêta des bons du Trésor = 0

d'où : $1{,}6 = (x_j)(1) + (1 - x_j)(0) \Rightarrow x_j = 1{,}60$

Vous devez donc investir 160% de votre richesse initiale dans le titre j.

21. a) i) $E(R_p) = x_M\, E(R_M) + x_s r$

$$E(R_p) = \left(\frac{8\ 000}{5\ 000}\right)(0{,}16) + \left(\frac{-3\ 000}{5\ 000}\right)(0{,}10)$$

$E(R_p) = 0{,}1960$

ii) $\beta_p = x_M\,\beta_M + x_s\beta_s$

$$\beta_p = \left(\frac{8\ 000}{5\ 000}\right)(1) + \left(\frac{-3\ 000}{5\ 000}\right)(0)$$

$\beta_p = 1{,}60$

iii) $\sigma(R_p) = [x_M^2\sigma^2(R_M) + x_s^2\sigma^2(r) + 2x_M x_s \rho(R_M, r)\sigma(R_M)\sigma(r)]^{1/2}$

$$\sigma(R_p) = \left[\left(\frac{8\ 000}{5\ 000}\right)^2 (0{,}08)^2 + 0 + 0\right]^{1/2}$$

$\sigma(R_p) = 0{,}1280$

b) $$E(R_p) = r + \frac{[E(R_M) - r]\sigma(R_p)}{\sigma(R_M)}$$

$$E(R_p) = 0{,}10 + \frac{[0{,}16 - 0{,}10]\sigma(R_p)}{0{,}08}$$

$$E(R_p) = 0{,}10 + 0{,}75\sigma(R_p)$$

c) $$\beta_i = \frac{\rho(R_i, R_M)\sigma(R_i)}{\sigma(R_M)}$$

$$\beta_i = \frac{(0{,}50)(0{,}12)}{0{,}08} = 0{,}75$$

d) Taux de rendement requis $= r + [E(R_M) - r]\,\beta_i$

$= 0{,}10 + [0{,}16 - 0{,}10]\ 0{,}75 = 0{,}1450$

e) $\text{Prix auquel l'action de la firme i devrait normalement se transiger maintenant} = \dfrac{E(P_1)}{(1 + \text{Taux de rendement requis})}$

$$= \frac{60}{(1+0,1450)} = 52,40\ \$$$

Puisque l'action de la firme i se transige actuellement à 52 $, on peut conclure qu'elle est légèrement sous-évaluée.

22. a) $\text{Taux de rendement requis sur le titre i} = 0,11 + (0,18 - 0,11)(1,50) = 21,50\%$

b) $P_0 = \dfrac{30+2}{(1+0,2150)} = 26,34\ \$$

c) Surévalué, car 28 $ > 26,34 $.

d) 1. Le prix baisserait, car le taux de rendement requis augmenterait.

2. Le prix baisserait, car le taux de rendement requis augmenterait.

23. a) Selon le modèle de Gordon, la valeur intrinsèque de l'action est :

$$V = \frac{D_1}{k-g}$$

Ici, on a : $D_1 = 1,75\ \$$

$g = 6\%$

et

$k = 0,08 + [0,15 - 0,08](1,50) = 18,50\%$

d'où :

$$V = \frac{1,75}{0,1850 - 0,06} = 14\ \$ < \underbrace{18\ \$}_{P_0}$$

$\Rightarrow$ surévaluée

b) $\text{Nouvelle valeur de l'action ordinaire} = \dfrac{1,75}{\underbrace{[0,08 + (0,15 - 0,08)(1,20)]}_{\text{Nouveau « k »}} - 0,08} = 20,83\ \$$

24.
$$\begin{aligned}\sigma(R_p) = [&x_1^2\ \sigma^2(R_1) + x_2^2\ \sigma^2(R_2) + x_3^2\ \sigma^2(R_3) + x_4^2\ \sigma^2(R_4) \\ &+ 2x_1x_2\text{Cov}(R_1,R_2) + 2x_1x_3\text{Cov}(R_1,R_3) \\ &+ 2x_1x_4\text{Cov}(R_1,R_4) + 2x_2x_3\text{Cov}(R_2,R_3) \\ &+ 2x_2x_4\text{Cov}(R_2,R_4) + 2x_3x_4\text{Cov}(R_3,R_4)]^{1/2}\end{aligned}$$

25. a) **Fonds Alpha**

$E(R) = (0{,}20)(-0{,}20) + (0{,}45)(0{,}16) + (0{,}35)(0{,}36) = 15{,}80\%$

$\sigma(R) = [0{,}20\,(-0{,}20 - 0{,}1580)^2 + 0{,}45\,(0{,}16 - 0{,}1580)^2 + 0{,}35\,(0{,}36 - 0{,}1580)^2]^{1/2}$
$= 19{,}98\%$

Fonds Gamma

$E(R) = (0{,}20)\,(-0{,}30) + (0{,}45)\,(0{,}24) + (0{,}35)\,(0{,}35) = 17{,}05\%$

$\sigma(R) = [0{,}20\,(-0{,}30 - 0{,}1705)^2 + 0{,}45\,(0{,}24 - 0{,}1705)^2 + 0{,}35\,(0{,}35 - 0{,}1705)^2]^{1/2}$
$= 24{,}03\%$

En se basant sur le critère de Markowitz, on ne peut pas faire de choix car le fonds qui comporte le rendement espéré le plus élevé (le fonds Gamma) est également le plus risqué.

b) **Fonds Alpha**

Selon le CAPM, on a :

$k = 0{,}0575 + (0{,}14 - 0{,}0575)(1{,}12) = 14{,}99\%$

Fonds Gamma

Selon le CAPM, on a :

$k = 0{,}0575 + (0{,}14 - 0{,}0575)(1{,}68) = 19{,}61\%$

c) $Cov(R_{Alpha}, R_{Gamma}) = 0{,}20\,(-0{,}20 - 0{,}1580)\,(-0{,}30 - 0{,}1705)$
$+ 0{,}45\,(0{,}16 - 0{,}1580)\,(0{,}24 - 0{,}1705)$
$+ 0{,}35\,(0{,}36 - 0{,}1580)\,(0{,}35 - 0{,}1705)$
$= 0{,}046441$

d) Le fonds Gamma. Son coefficient bêta étant plus élevé, il est plus sensible aux mouvements du marché boursier.

e) Soit,

x : proportion des fonds investis dans le fonds Alpha.

Il s'agit de résoudre l'équation suivante :

$0{,}1650 = (x)\,(0{,}1580) + (1-x)\,(0{,}1705)$
$0{,}1650 = 0{,}1580x + 0{,}1705 - 0{,}1705x$
$-0{,}0055 = -0{,}0125x$

d'où : $x = \dfrac{-0{,}0055}{-0{,}0125} = 44\%$

Il doit donc investir 44 000 $ (soit 44% × 100 000 $) dans le fonds Alpha et 56 000 $ (soit 56% × 100 000 $) dans le fonds Gamma.

f) Le taux de rendement en dollars canadiens diminuerait.

Chapitre 6

Choix des investissements à long terme I : calcul des flux monétaires et critères de rentabilité

Série A

1. a) F b) V c) F d) V e) V f) F g) F h) F i) V j) V k) V
l) F m) F n) F o) F p) F q) V r) V

2. a) $A_1 = (200\ 000)\left(\frac{0,20}{2}\right)(0,40) = 8\ 000\ \$$

b) $A_3 = \left[(200\ 000)\left(1 - \frac{0,20}{2}\right)(1 - 0,20)^{3-2}\right](0,20)(0,40)$

$= 11\ 520\ \$$

c) $FM_3 = [300\ 000 - 100\ 000 - 40\ 000]\ (1,06)^2\ (1 - 0,40) + 11\ 520$
$= 119\ 385,60\ \$$

3. *Année 1*

$$\text{Investissement dans le fonds de roulement} = (500\ 000\ 000)(10\%) = 50\ 000\ 000\ \$$$

Année 2

$$\text{Investissement dans le fonds de roulement} = (\Delta\ \text{ventes})(10\%)$$
$$= (600\ 000\ 000 - 500\ 000\ 000)(10\%)$$
$$= 10\ 000\ 000\ \$$$

Année 3

$$\text{Récupération d'une partie de l'investissement dans le fonds de roulement} = (600\ 000\ 000 - 400\ 000\ 000)(10\%)$$
$$= 20\ 000\ 000\ \$$$

Année 4

$$\text{Récupération de l'investissement résiduel dans le fonds de roulement} = (400\ 000\ 000 - 300\ 000\ 000)(10\%) + 30\ 000\ 000$$
$$= 40\ 000\ 000\ \$$$

4. a) $160 = 100(1 + TRI_A)^{-1} + 100(1 + TRI_A)^{-3}$

La valeur du TRI peut se calculer par approximations successives ou, de préférence, avec la calculatrice financière.

Calculatrice

160 (+/-)	• • (ENT)
100	• • (ENT)
0	• • (ENT)
100	• • (ENT)
(2ndF) (CFi) (COMP)	

La calculatrice affiche alors le résultat cherché, soit 0,1217 ou 12,17%.

$160 = 220(1 + TRI_B)^{-3}$
d'où : $TRI_B = 11{,}20\%$

b) Le TRI suppose que les flux monétaires du projet A sont réinvestis à 12,17% et que ceux du projet B sont réinvestis à 11,20%.

c) $VAN_A = VAN_B$
$-160 + 100(1 + i)^{-1} + 100(1 + i)^{-3} = -160 + 220(1 + i)^{-3}$
$0 = -100(1 + i)^{-1} + 120(1 + i)^{-3}$

À l'aide de la calculatrice financière, on trouve que la valeur de « i » s'élève à 9,54%. La procédure à suivre est la suivante :

Calculatrice

0	• • (ENT)
100 (+/-)	• • (ENT)
0	• • (ENT)
120	• • (ENT)
(2ndF) (CFi) (COMP)	

Résultat affiché : 9,54%

d)

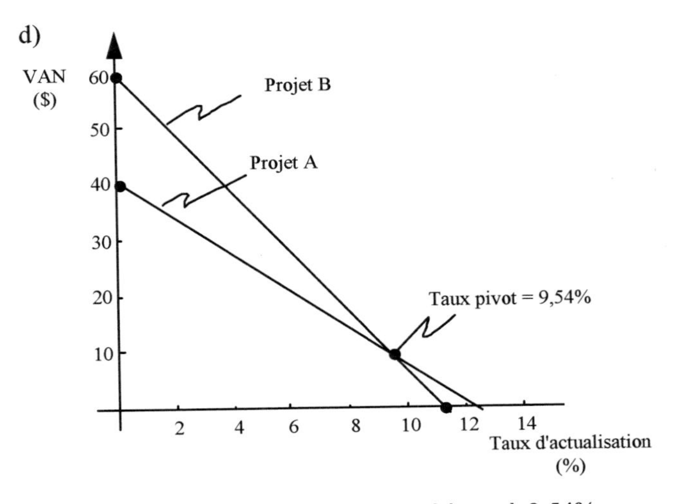

e) Pour des taux d'actualisation supérieurs à 9,54%.

f) Le projet B, car à 9% on a $VAN_B > VAN_A$.

5. a) $VAN = -20\ 000 + \left(\dfrac{5000}{0,15}\right)(1+0,15)^{-3} = 1917,21\$$

b) $20\ 000 = \left(\dfrac{5000}{TRI}\right)(1+TRI)^{-3}$ d'où : $TRI \approx 16\%$

Remarque. Le TRI se calcule par approximations successives.

6. a) $VAN_A = -500 + 400(1 + 0,12)^{-1} + 200(1 + 0,12)^{-2} + 100(1 + 0,12)^{-3} = 87,46\ \$$
$VAN_B = -500 + 20(1 + 0,12)^{-1} + 300(1 + 0,12)^{-2} + 500(1 + 0,12)^{-3} = 112,91\ \$$
Accepter le projet B.

Remarque. On peut obtenir les résultats précédents rapidement à l'aide de la calculatrice financière (voir l'exemple 6.6 dans le volume).

b) $500 = 400(1 + TRI_A)^{-1} + 200(1 + TRI_A)^{-2} + 100(1 + TRI_A)^{-3}$
d'où : $TRI_A = 24,86\%$
$500 = 20(1 + TRI_B)^{-1} + 300(1 + TRI_B)^{-2} + 500(1 + TRI_B)^{-3}$
d'où : $TRI_B = 21,35\%$

c) $500(1+TRI_A^*)^3 = 400(1+0,12)^2 + 200(1+0,12)^1 + 100$
d'où : $TRI_A^* = 18,20\%$
$500(1+TRI_B^*)^3 = 20(1+0,12)^2 + 300(1+0,12)^1 + 500$
d'où : $TRI_B^* = 19,87\%$

d) $VAN_A = VAN_B$
$-500 + 400(1+i)^{-1} + 200(1+i)^{-2} + 100(1+i)^{-3}$
$= -500 + 20(1+i)^{-1} + 300(1+i)^{-2} + 500(1+i)^{-3}$
$0 = -380(1+i)^{-1} + 100(1+i)^{-2} + 400(1+i)^{-3}$
d'où : $i = 16,60\%$

e) i) Vrai ii) Faux iii) Faux iv) Vrai
v) Faux (le TRI est indépendant du taux de rendement exigé).

7. a) Projet X : $DR = 2 + \frac{500}{3000} = 2{,}17$ ans

Projet Y : $DR = 2 + \frac{3000}{3500} = 2{,}86$ ans

Réponse : Projet X.

b) $VAN(X) = \frac{6500}{(1+0{,}12)} + \frac{3000}{(1+0{,}12)^2} + \frac{3000}{(1+0{,}12)^3} + \frac{1000}{(1+0{,}12)^4} - 10\ 000$

$VAN(X) = 966{,}01$ \$

$VANY) = 3\ 500 A_{\overline{4}|12\%} - 10\ 000 = 630{,}72$ \$

Réponse : Projet X

c) $IR(X) = \frac{966{,}01}{10\ 000} + 1 = 1{,}10$

$IR(Y) = \frac{630{,}72}{10\ 000} + 1 = 1{,}06$

Réponse : Projet X

d) **Projet X :**

$$0 = -10\ 000 + \frac{6500}{(1+TRI)} + \frac{3000}{(1+TRI)^2} + \frac{3000}{(1+TRI)^3} + \frac{1000}{(1+TRI)^4}$$

$TRI(X) = 18{,}03\%$

Projet Y :

$0 = -10\ 000 + 3500 A_{\overline{4}|TRI}$

$TRI(Y) = 14{,}96\%$

Réponse : Projet X

e) **Projet X :**

$$10\ 000(1+TRI_X^*)^4 = 6500(1+0{,}12)^3 + 3000(1+0{,}12)^2 + 3000(1+0{,}12) + 1000$$

$TRI_X^* = 14{,}61\%$

Projet Y :

$10\ 000(1+TRI_Y^*)^4 = 3500 S_{\overline{4}|12\%}$

$TRI_Y^* = 13{,}73\%$

Réponse : Projet X

f) Il s'agit de trouver la valeur de i qui permet de vérifier l'équation suivante :

$$-10\,000+\frac{6500}{(1+i)}+\frac{3000}{(1+i)^2}+\frac{3000}{(1+i)^3}+\frac{1000}{(1+i)^4}$$

$$=-10\,000+\frac{3500}{(1+i)}+\frac{3500}{(1+i)^2}+\frac{3500}{(1+i)^3}+\frac{3500}{(1+i)^4}$$

$$0=\frac{-3000}{(1+i)}+\frac{500}{(1+i)^2}+\frac{500}{(1+i)^3}+\frac{2500}{(1+i)^4}$$

À l'aide de la calculatrice financière, on trouve i ≈ 6,22%.

g)

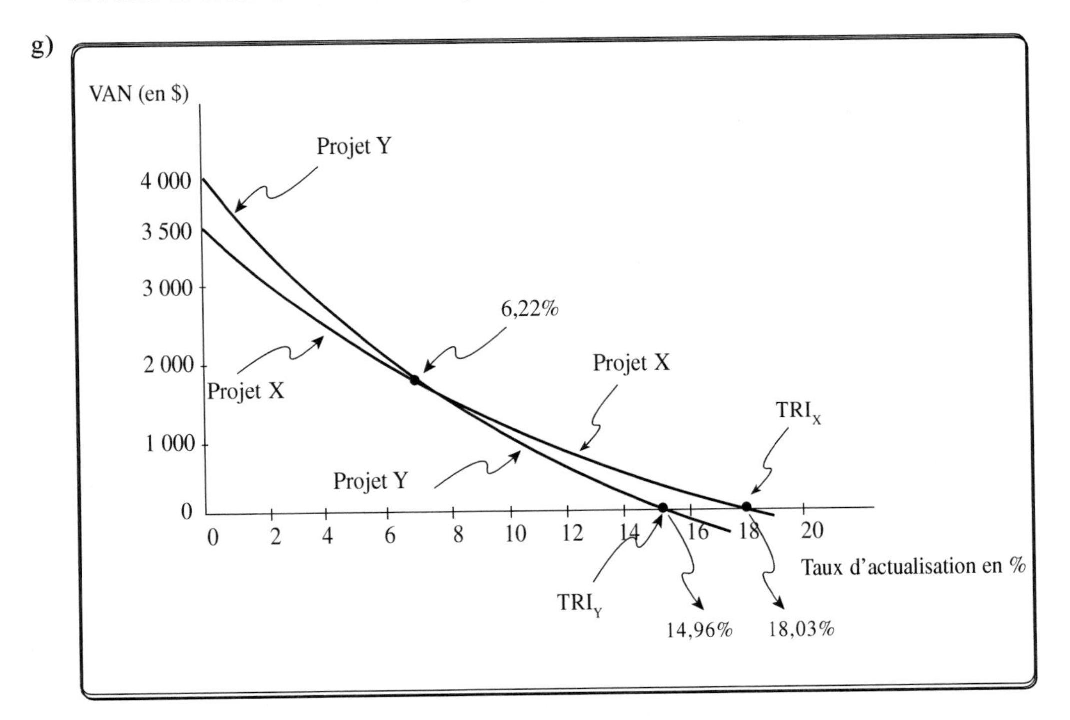

h) Le projet X, puisque la VAN du projet X à 12% est plus élevée que celle du projet Y.
i) Le projet Y, puisque la VAN du projet Y à 5% est plus élevée que celle du projet X.

8. a) $VAN(X) = -180 + 110\,(1+0{,}09)^{-1} + 20(1 + 0{,}09)^{-2} + 100(1 + 0{,}09)^{-3} = 14{,}97$ $

$VAN(Y) = -180 + 225(1 + 0{,}09)^{-3} = -6{,}26$ $

b) **Projet X**

$180 = 110(1+TRI_X)^{-1} + 20(1+TRI_X)^{-2} + 100(1+TRI_X)^{-3}$

d'où : $TRI_X = 13{,}79\%$

Projet Y

$180 = 225(1+TRI_Y)^{-3}$

d'où : $TRI_Y = 7{,}72\%$

c)

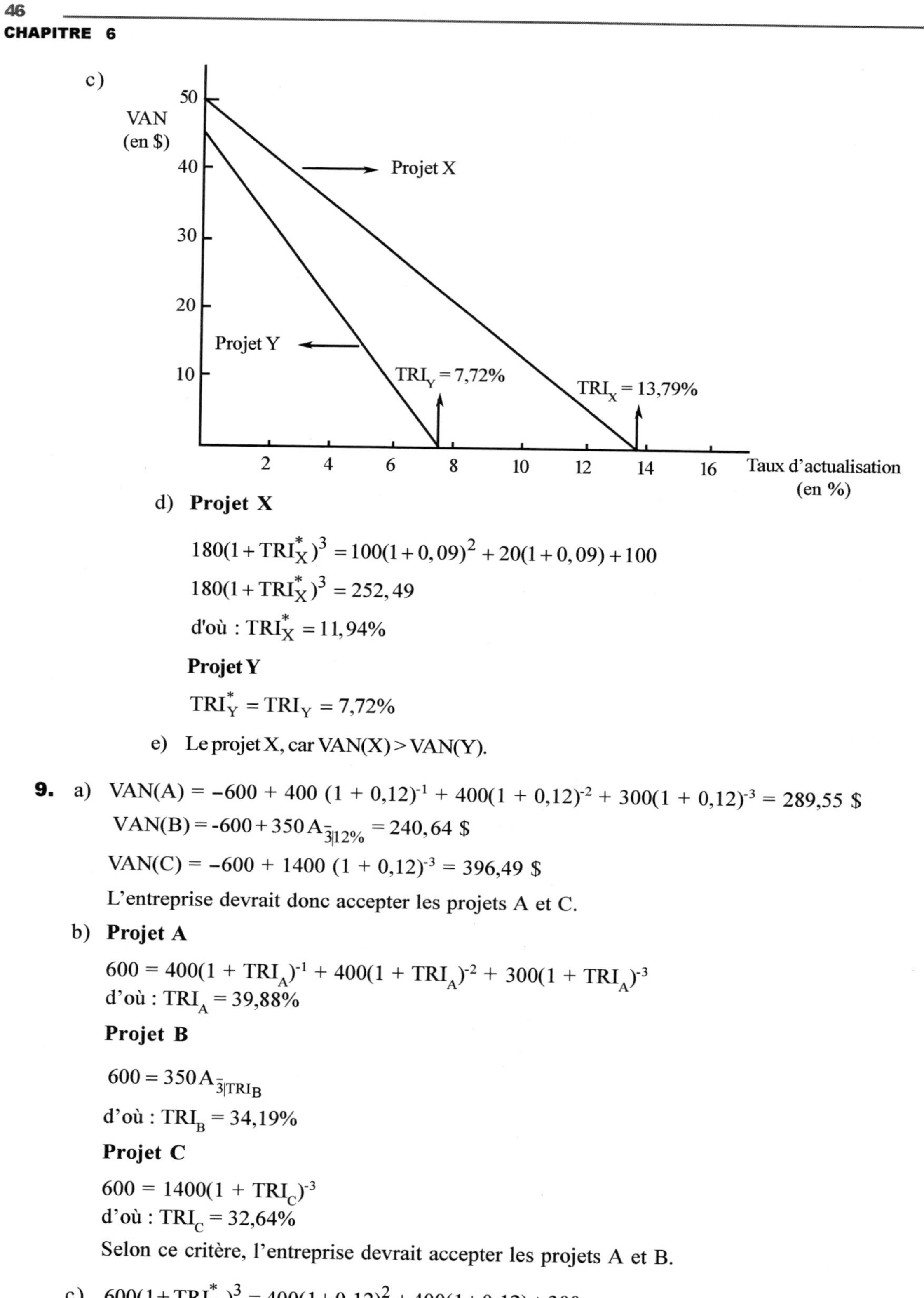

d) **Projet X**

$$180(1+\text{TRI}_X^*)^3 = 100(1+0,09)^2 + 20(1+0,09) + 100$$

$$180(1+\text{TRI}_X^*)^3 = 252,49$$

$$\text{d'où : } \text{TRI}_X^* = 11,94\%$$

Projet Y

$$\text{TRI}_Y^* = \text{TRI}_Y = 7,72\%$$

e) Le projet X, car VAN(X) > VAN(Y).

9. a) $\text{VAN(A)} = -600 + 400\,(1 + 0,12)^{-1} + 400(1 + 0,12)^{-2} + 300(1 + 0,12)^{-3} = 289,55\ \$$

$\text{VAN(B)} = -600 + 350\,A_{\overline{3}|12\%} = 240,64\ \$$

$\text{VAN(C)} = -600 + 1400\,(1 + 0,12)^{-3} = 396,49\ \$$

L'entreprise devrait donc accepter les projets A et C.

b) **Projet A**

$600 = 400(1 + \text{TRI}_A)^{-1} + 400(1 + \text{TRI}_A)^{-2} + 300(1 + \text{TRI}_A)^{-3}$
d'où : $\text{TRI}_A = 39,88\%$

Projet B

$600 = 350\,A_{\overline{3}|\text{TRI}_B}$

d'où : $\text{TRI}_B = 34,19\%$

Projet C

$600 = 1400(1 + \text{TRI}_C)^{-3}$
d'où : $\text{TRI}_C = 32,64\%$
Selon ce critère, l'entreprise devrait accepter les projets A et B.

c) $600(1+\text{TRI}_A^*)^3 = 400(1+0,12)^2 + 400(1+0,12) + 300$

$600(1+\text{TRI}_A^*)^3 = 1249,76$

d'où : $\text{TRI}_A^* = 27,71\%$

d) $VAN_B = VAN_C$

$-600 + 350(1 + i)^{-1} + 350(1 + i)^{-2} + 350(1 + i)^{-3} = -600 + 1400(1 + i)^{-3}$

$0 = -350(1 + i)^{-1} - 350(1 + i)^{-2} + 1050(1 + i)^{-3}$

À l'aide de la calculatrice financière, on trouve directement i = 30,28%.

e) Tous ces projets comportent un délai de récupération supérieur à un an. Par conséquent, l'entreprise ne devrait en accepter aucun.

f) Pour répondre à cette question, il s'agit d'utiliser la méthode de la VAN. On a :

VAN(A) = 289,55 $

et

VAN(B + C) = VAN(B) + VAN(C) (les VAN sont additives)
= 240,64 + 396,44 = 637,08 $

On devrait donc accepter les projets A, B et C.

10. a) 1 b) 4 c) 5 d) 4 e) 4 f) 4 g) 4 h) 5 i) 3 j) 2
k) 1 l) 3 m) 1 n) 1 o) 3 p) 3

11. a) **Projet X**

$500 = 100(1 + TRI_X)^{-1} + 200(1 + TRI_X)^{-2} + 300(1 + TRI_X)^{-3} + 400(1 + TRI_X)^{-4}$

d'où : $TRI_X = 27,27\%$

Projet Y

$500 = 800(1 + TRI_Y)^{-1} + 100(1 + TRI_Y)^{-2} + 50(1 + TRI_Y)^{-3} + 25(1 + TRI_Y)^{-4}$

d'où : $TRI_Y = 75,56\%$

Projet Z

$500 = 1000(1 + TRI_Z)^{-4}$

d'où : $TRI_Z = 18,92\%$

Accepter le projet Y. Réponse 2.

b) **Projet X**

$VAN(X) = -500 + 100(1 + 0,16)^{-1} + 200(1 + 0,16)^{-2} + 300(1 + 0,16)^{-3} + 400(1 + 0,16)^{-4}$

VAN(X) = 147,95 $

Projet Y

$VAN(Y) = -500 + 800(1 + 0,16)^{-1} + 100(1 + 0,16)^{-2} + 50(1 + 0,16)^{-3} + 25(1 + 0,16)^{-4}$

VAN(Y) = 309,81 $

Projet Z

$VAN(Z) = -500 + 1000(1 + 0,16)^{-4}$

VAN(Z) = 52,29 $

Accepter le projet Y. Réponse 2.

c) VAN(X) = VAN(Z)

$-500 + 100(1 + i)^{-1} + 200(1 + i)^{-2} + 300(1 + i)^{-3} + 400(1 + i)^{-4} = -500 + 1000(1 + i)^{-4}$

$0 = -100(1 + i)^{-1} - 200(1 + i)^{-2} - 300(1 + i)^{-3} + 600(1 + i)^{-4}$

À l'aide de la calculatrice financière, on trouve directement i = 0%. Réponse 1.

d) $TRI_Z^* = TRI_Z$. Réponse 4.

e) Le projet Y. Réponse 2.

f) $IR_Z = \dfrac{1000(1 + 0,16)^{-4}}{500} = 1,10$. Réponse 5.

12. Projet A :

Coût annuel équivalent (y)

$$10\ 000 = y\,A_{\overline{2}|10\%}$$

$$y = 5761,90\ \$$$

Flux monétaire annuel : 6 000 $

Revenu annuel net équivalent = 6000 – 5761,90 = 238,10 $

Projet B :

Coût annuel équivalent (y)

$$10\ 000 = y\,A_{\overline{3}|10\%}$$

$$y = 4021,15\ \$$$

Flux monétaire annuel équivalent (x)

$$4000A_{\overline{2}|10\%} + \frac{4750}{(1+0,10)^3} = x\,A_{\overline{3}|10\%}$$

$$x = 4226,59\ \$$$

Revenu annuel net équivalent = 4226,59 – 4021,15 = 205,44 $

On devrait donc choisir le projet A.

Série B

13.

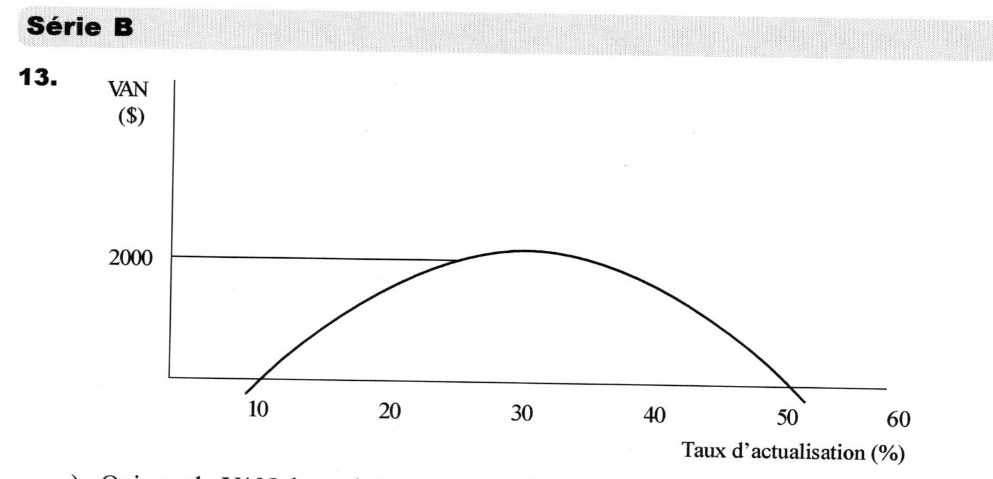

a) Oui, car la VAN du projet est positive si le taux d'actualisation utilisé est de 40%.

b) Non, car la VAN du projet est négative si le taux d'actualisation utilisé est de 8%.

14. a) $DR = \frac{I}{FM}$

Le TRI s'obtient ainsi : $\frac{FM}{TRI} - I = 0$ d'où : $TRI = \frac{FM}{I}$

Réponse : Vrai

b) La VAN se calcule ainsi : $VAN = \frac{FM}{r} - I$

La VAN est positive si $\frac{FM}{r} > I$ c.-à-d. si $FM > r \cdot I$

Réponse : Vrai

c) $IR = \frac{VAN}{I} + 1$

$$IR = \frac{VAN + I}{I}$$

$$IR = \frac{\frac{FM}{r} - I + I}{I} = \frac{FM}{r \cdot I}$$

Réponse : Vrai

15. a) Le TRI se calcule ainsi :

$$\frac{FM}{(1 + TRI)} = I$$

Si FM = I, on obtient :

$$\frac{I}{(1 + TRI)} = I$$

$I = I + I \cdot TRI$
$0 = I \cdot TRI$
$TRI = 0$
Réponse : Vrai

b) Faux, cela dépend du taux d'actualisation approprié.

c) Le TRI se calcule ainsi :

$$\frac{FM}{(1 + TRI)} = I$$

d'où : $FM = I(1 + TRI)$ et $TRI = \frac{FM}{I} - 1$

Réponse : Vrai

d) Vrai, puisque la VAN sera alors positive.

16. On ne peut pas calculer la VAN de ce projet puisqu'on ne connaît pas le taux d'actualisation approprié.

17. a) Il s'agit de résoudre l'équation quadratique suivante :

$$-2\ 000\ 000 + \frac{9\ 000\ 000}{(1 + TRI)} - \frac{5\ 000\ 000}{(1 + TRI)^2} = 0$$

Posons : $x = \frac{1}{(1 + TRI)}$

$-2\,000\,000 + 9\,000\,000x - 5\,000\,000x^2 = 0$ d'où : $x = \frac{-b \pm \sqrt{b^2 - 4ac}}{2a}$

$$x = \frac{-9\ 000\ 000 \pm \sqrt{(9\ 000\ 000)^2 - (4)(-5\ 000\ 000)(-2\ 000\ 000)}}{(2)(-5\ 000\ 000)}$$

$$x = \frac{-9\ 000\ 000 \pm 6\ 403124}{-10\ 000\ 000}$$

$x \approx 1{,}5403$ ou $0{,}2597$

Par conséquent :

$$1{,}5403 = \frac{1}{(1+\text{TRI})}$$

$$1{,}5403 + 1{,}5403\,\text{TRI} = 1$$

$$\Rightarrow \text{TRI} = \frac{1-1{,}5403}{1{,}5403} \approx -35{,}08\%$$

et

$$0{,}2597 = \frac{1}{(1+\text{TRI})}$$

$$0{,}2597 + 0{,}2597\,\text{TRI} = 1$$

$$\Rightarrow \text{TRI} = \frac{1-0{,}2597}{0{,}2597} \approx 285{,}06\%$$

b) $\text{VAN}(\text{à } 15\%) = -2\,000\,000 + 9\,000\,000\,(1+0{,}15)^{-1} - 5\,000\,000\,(1+0{,}15)^{-2}$
$= 2\,045\,369\ \$ > 0 \Rightarrow$ accepte le projet.

18. a) $$\text{VAN} = -3\,000 + 200\left[\frac{1-\left(\frac{1+0{,}10}{1+0{,}15}\right)^{30}}{0{,}15-0{,}10}\right] = -54\ \$$$

Réponse : 1

b) $$\text{VAN} = -3000 + \underbrace{(30)(200)(1+0{,}10)^{-1}}_{\text{(voir le chapitre 3, expression 3.9a)}}$$

$\text{VAN} = 2\,455\ \$$

Réponse : 5

c) $$3\,000 = 200\left[\frac{1-\left(\frac{1+0{,}10}{1+\text{TRI}}\right)^{30}}{\text{TRI}-0{,}10}\right]$$

Par approximations successives, on trouve : TRI $\approx$ 14,83%.
Réponse : 3
On peut également déterminer rapidement et précisément la valeur du TRI à l'aide de la méthode du taux d'actualisation rajusté (consultez, au besoin, les pages 67 à 70 du volume pour un rappel sur cette méthode).
En ayant recours à l'expression (3.13), on peut écrire :

$$3\,000 = 200\left[\frac{1-\left(\frac{1+0{,}10}{1+\text{TRI}}\right)^{30}}{\text{TRI}-0{,}10}\right] = \left(\frac{200}{1+0{,}10}\right)\left[\frac{1-(1+y)^{-30}}{y}\right]$$

où $y = \text{Taux d'actualisation rajusté} = \left(\frac{1+\text{TRI}}{1+g}\right) - 1$

La valeur du taux d'actualisation rajusté (y) se calcule directement avec la calculatrice financière.

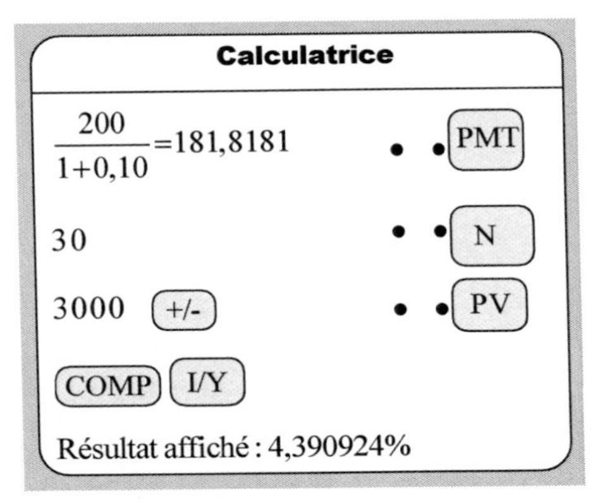

Le TRI est donc égal à :

$$(1 + 0{,}049390924)(1 + 0{,}10) - 1 = 14{,}83\%$$

Réponse : 3

d) $\sum_{t=1}^{9} FM_t = 2715{,}90\ \$ < 3000\ \$$ et $\sum_{t=1}^{10} FM_t = 3187{,}48\ \$ > 3000\ \$$

Par conséquent, le délai de récupération est compris entre 9 et 10 ans.
Réponse 2.

19. Réponse 4.

20. a) $$VAN = -5000 + 800\,A_{\overline{5}|15\%} + 800(1+0{,}15)\left[\frac{1-\left(\frac{1+0{,}15}{1+0{,}15}\right)^{20}}{0{,}15-0{,}15}\right](1+0{,}15)^{-5}$$

$$VAN = -5000 + 2\,681{,}72 + \underbrace{[(20)(800)(1+0{,}15)(1+0{,}15)^{-1}]}_{\text{(voir le chapitre 3, expression 3.9a)}}(1+0{,}15)^{-5}$$

$VAN = 5\,636{,}55\ \$$. Réponse 4.

b) Il s'agit de résoudre, par approximations successives, l'égalité suivante :

$$5000 = 800\,A_{\overline{5}|TRI} + 800(1+0{,}15)\left[\frac{1-\left(\frac{1+0{,}15}{1+TRI}\right)^{20}}{TRI-0{,}15}\right](1+TRI)^{-5}$$

Le TRI vaut approximativement 23,7%. Réponse 4.

c) Il s'agit de résoudre l'équation suivante :

$$5000(1+TRI^*)^{25} = 800\,S_{\overline{5}|10\%}(1+0{,}10)^{20} + \underbrace{800(1+0{,}15)(1+0{,}10)^{20}\left[\frac{\left(\frac{1+0{,}15}{1+0{,}10}\right)^{20}-1}{0{,}15-0{,}10}\right]}_{\text{(voir le chapitre 3, expression 3.8)}}$$

$$5000\,(1+TRI^*)^{25} = 32\,857{,}65 + 177\,358{,}29$$
$$5000\,(1+TRI^*)^{25} = 210\,215{,}94$$

d'où : $TRI^* = 16{,}13\%$. Réponse 6.

Chapitre 7

Choix des investissements à long terme II : impact fiscal et sujets particuliers

Série A

1. $S_7 = 100\ 000\left(1-\frac{0,20}{2}\right)(1-0,20)^{7-2} = 29\ 491,20\ \$$

Perte finale = 29 491,20 - 10 000 = 19 491,20 $

Économie d'impôt = (19 491,20) (0,45) = 8771,04 $

2. $\text{VAEI} = \frac{(100\ 000)(0,10)(0,30)}{(1+0,12)}$

$$+[(100\ 000)(0,20)(0,30)A_{\overline{4}|12\%}](1,12)^{-1} + \frac{(100\ 000)(0,10)(0,30)}{(1+0,12)^6} = 20\ 469,98\ \$$$

3. VAEI (pour les années 1 à 4) $= \frac{(100\ 000)(0,10)(0,40)}{(1+0,12)} + \frac{(100\ 000-10\ 000)(0,20)(0,35)}{(1+0,12)^2}$

$$+\frac{(100\ 000-10\ 000-18\ 000)(0,20)(0,30)}{(1+0,12)^3}$$

$$+\frac{(100\ 000-10\ 000-18\ 000-14\ 400)(0,20)(0,25)}{(1+0,12)^4}$$

$$= 13\ 498,93\ \$$$

4. $S_7 = (5)(30\ 000)\left(1-\frac{0,30}{2}\right)(1-0,30)^{7-2}$

$$+[(3)(40\ 000)-(2)(15\ 000)]\left(1-\frac{0,30}{2}\right)(1-0,30)^{4-2}$$

$$= 58\ 913,93\ \$$$

5. a) $FM_5 = (R_5 - D_5)(1-T) + A_5 \cdot T$

et $A_5 = S_5 \cdot d$

$$A_5 = \left[(40\ 000)\left(1-\frac{0,30}{2}\right)(1-0,30)^{5-2}\right] \cdot 30\%$$

$$A_5 = 3\ 498,60\ \$$$

$$FM_5 = \underbrace{[26\,000 - 13\,000 - (120)(52) - (200)(12)](1-0,45)}_{4360} + (3\,498,60)(0,45)$$

$$FM_5 = 3\,972,37\ \$$$

b) $$VAN = 4\,360(1-0,45)A_{\overline{5}|15\%} + \frac{(40\,000)(0,30)(0,45)[1+(0,50)(0,15)]}{(0,15+0,30)(1+0,15)} - 40\,000 + \frac{18\,000}{(1+0,15)^5} - \frac{(18\,000)(0,30)(0,45)}{(0,15+0,30)(1+0,15)^5}$$

$$VAN = -14\,479,71\ \$$$

Le projet devrait donc être refusé.

6. $$VAN = -(15\,000 - 1\,500) + 2\,000(1-0,40)\left[\frac{1-\left(\frac{1+0,06}{1+0,14}\right)^6}{0,14-0,06}\right] + \frac{(15\,000-1500)(0,30)(0,40)[1+(0,50)(0,14)]}{(0,14+0,30)(1+0,14)} + \frac{(3\,000-400)}{(1+0,14)^6} - \frac{(3000-400)(0,30)(0,40)}{(0,14+0,30)(1+0,14)^6}$$

$VAN = -3876,66\ \$ \Rightarrow$ on ne devrait donc pas remplacer le vieux camion.

7. **Investissement initial** (-)

850 000 $

Économies réalisées après impôt (+)

$(200\,000 + 45\,000)(1-0,40)A_{\overline{5}|12\%}$

= 529 902,10 $

Économies d'impôt liées à l'amortissement fiscal (+)

$$\frac{(850\,000)(0,20)(0,40)[1+(0,50)(0,12)]}{(0,12+0,20)(1+0,12)}$$

= 201 116,07 $

Sortie de fonds évitée (+)

$15\,000\,(1 - 0,40)\,(1 + 0,12)^{-1} = 8035,71\ \$$

Sortie de fonds en cours de projet (-)

$$\frac{90\,000}{(1+0,12)^3} - \left[\frac{(90\,000)(0,20)(0,40)[1+(0,50)(0,12)]}{(0,12+0,20)(1+0,12)}\right](1+0,12)^{-2}$$

= 47 084,26 $

Valeur de revente de l'équipement (+)

$350\,000\,(1 + 0,12)^{-5} = 198\,599,40\ \$$

Économies d'impôt perdues (-)

si la classe d'actifs ne disparaît pas

$$\frac{350\ 000)(0,20)(0,40)}{(0,12+0,20)(1+0,12)^5}=49\ 649,85\ \$$$

si la classe d'actifs disparaît

Le solde de la classe au début de l'année 6 se calcule ainsi :

$$\text{Solde au début de l'année 6} = 850\ 000\left(1-\frac{0,20}{2}\right)(1-0,20)^{6-2}+90\ 000\left(1-\frac{0,20}{2}\right)(1-0,20)^{4-2}$$

$$= 365\ 184\ \$$$

$$\frac{(365\ 184)(0,20)(0,40)}{(0,12+0,20)(1+0,12)^5}=51\ 803,80\ \$$$

Économie d'impôt liée à la perte finale si la classe disparaît (+)

$$\frac{(365\ 184-350\ 000)(0,40)}{(1+0,12)^6}=3077,07\ \$$$

On suppose que l'économie d'impôt sera obtenue à la fin de l'année 6.

Calcul de la VAN

a) ***si la classe d'actifs ne disparaît pas***

VAN = –850 000 + 529 902,10 + 201 116,07 + 8 035,71 – 47 084,26 + 198 599,40 – 49 649,85

= –9 080,83 $ ⇒ Le projet n'est pas acceptable.

b) ***si la classe disparaît***

VAN = –850 000 + 529 902,10 + 201 116,07 + 8 035,71 – 47 084,26 + 198 599,40

– 51 803,80 + 3077,07

= -8 157,71 $ ⇒ Le projet n'est pas acceptable.

8.
$$\text{VAN}=-400\ 000+\frac{84\ 000}{(1+0,14)}+\frac{84\ 000(1+0,05)}{(1+0,14)^2}$$
$$+\frac{84\ 000(1+0,05)^2}{(1+0,14)^3}+\frac{84\ 000(1+0,05)^3}{(1+0,14)^4}+\frac{84\ 000(1+0,05)^4}{(1+0,14)^5}$$
$$+\frac{(400\ 000)(0,20)(0,40)[1+(0,50)(0,14)]}{(0,20+0,14)(1+0,14)}$$

$\text{VAN}=3\ 001,89\ \$$

9. La méthode la plus rapide est la suivante :

$$\text{VAN}=-60+\frac{40}{(1+0,08)}+\frac{30}{(1+0,08)^2}+\frac{20}{(1+0,08)^3}$$

$\text{VAN}=18,63\ \$$

10. e

11. VAN = –500 000

$$+\frac{200\ 000(2-1{,}25)(1-0{,}36)}{(1+0{,}15)}+\frac{200\ 000[(2)(1+0{,}03)-(1{,}25)(1+0{,}06)](1-0{,}36)}{(1+0{,}15)^2}$$

$$+\frac{200\ 000[(2)(1+0{,}03)^2-(1{,}25)(1+0{,}06)^2](1-0{,}36)}{(1+0{,}15)^3}$$

$$+\frac{200\ 000[(2)(1+0{,}03)^3-(1{,}25)(1+0{,}06)^3](1-0{,}36)}{(1+0{,}15)^4}$$

$$+\frac{200\ 000[(2)(1+0{,}03)^4-(1{,}25)(1+0{,}06)^4](1-0{,}36)}{(1+0{,}15)^5}$$

$$+\frac{(500\ 000)(0{,}20)(0{,}36)\left(1+\frac{0{,}15}{2}\right)}{(0{,}15+0{,}20)(1+0{,}15)}$$

VAN = –95 055 $

Ce projet devrait être refusé.

Série B

12. Solde de la catégorie au début de l'année 3

$$S_3=200\ 000\left(1-\frac{0,30}{2}\right)(1-0,30)^{3-2}=119\ 000\ \$$$

Transactions de l'année 3

Achat de 2 camions : (2) (60 000) =	120 000 $
Vente de 2 camions : (2) (18 000) =	36 000 $
Additions nettes	84 000 $

Amortissement pour l'année 3

(119 000) (0,30) + (84 000) (0,30) (0,50) = 48 300 $

Solde au début de l'année 4

119 000 + 84 000 – 48 300 = 154 700 $

Solde au début de l'année 8

154 700 $(1-0{,}30)^{5\text{-}1}$ = 37 143,47 $

Solde au début de l'année 9

(37 143,47 – 30 000) (1– 0,30) = 5000,43 $

13. $$\text{VAEI}=\frac{(100\ 000)(0,20/2)(0,40)}{(1+0,12)^1}+\left[\frac{(100\ 000-10\ 000)(0,20)(0,35)}{0,12+0,20}\right](1+0,12)^{-1}=21\ 149,55\ \$$$

14. $$\text{VAEI}=\frac{(60\ 000)(0,40)(0,38)}{(1+0,12)^1}+\frac{(60\ 000)(0,30)(0,38)}{(1+0,12)^2}+\frac{(60\ 000)(0,20)(0,38)}{(1+0,12)^3}+\frac{(60\ 000)(0,10)(0,38)}{(1+0,12)^4}=18\ 290,36\ \$$$

15. a) On doit, en premier lieu, déterminer les recettes nettes du projet avant impôt pour chacune des années. On a :

$(R_t - D_t - AC_t)(1\text{-}T)$ = Profit comptable pour l'année t

et

$$\begin{array}{c}\text{Amortissement comptable} \\ \text{annuel } (AC_t)\end{array} = \frac{500\ 000 - 200\ 000}{3} = 100\ 000\ \$/\text{année}$$

Année 1

$(R_1 - D_1 - 100\ 000)(1 - 0{,}40) = 150\ 000$

d'où : $R_1 - D_1 = 350\ 000$ \$

Année 2

$(R_2 - D_2 - 100\ 000)(1 - 0{,}40) = 170\ 000$

d'où : $R_2 - D_2 = 383\ 333{,}33$ \$

Année 3

$(R_3 - D_3 - 100\ 000)(1 - 0{,}40) = 186\ 000$

d'où : $R_3 - D_3 = 410\ 000$ \$

Calcul de la VAN

$$\begin{aligned}\text{VAN} = {} & \frac{350\ 000(1-0{,}40)}{(1+0{,}14)} + \frac{383\ 333{,}33(1-0{,}40)}{(1+0{,}14)^2} \\ & + \frac{410\ 000(1-0{,}40)}{(1+0{,}14)^3} + \frac{(500\ 000)(0{,}20)0{,}40)[1+(0{,}50)(0{,}14)]}{(0{,}14+0{,}20)(1+0{,}14)} \\ & + \frac{200\ 000}{(1+0{,}14)^3} + \frac{(288\ 000^* - 200\ 000)(0{,}40)}{(1+0{,}14)^4} \\ & - \frac{(288\ 000)(0{,}20)(0{,}40)}{(0{,}14+0{,}20)(1+0{,}14)^3} - 500\ 000\end{aligned}$$

$$\text{VAN} = 247\ 750{,}45\ \$$$

Le projet est donc acceptable.

$$* \quad \begin{array}{c}\text{Solde de la classe au} \\ \text{début de l'année 4}\end{array} = 500\ 000\left(1 - \frac{0{,}20}{2}\right)(1-0{,}20)^{4-2} = 288\ 000\ \$$$

- Comme la catégorie d'actifs disparaît au début de l'année 4, la perte d'économies d'impôt se calcule à partir du solde de la classe, soit 288 000 \$.
- Le prix de vente de l'actif étant de 200 000 \$, on aura alors une perte finale de 88 000 \$ (288 000 \$ – 200 000 \$). Dans le calcul de la VAN, on a donc tenu compte de la valeur actuelle de l'économie d'impôt découlant de la perte finale.

b) Oui.

$$\begin{aligned}\text{VAN corrigée} &= 247\ 750{,}45 - 100\ 000 + \frac{100\ 000}{(1+0{,}14)^3} \\ &= 215\ 247{,}60\ \$\end{aligned}$$

16. a) **Calcul du taux d'imposition**

$$T = \frac{1\ 200\ 000}{2\ 000\ 000 + 1\ 200\ 000} = 37{,}5\%$$

Investissement (-)

$$400\ 000 + 800\ 000 + \frac{300\ 000}{(1+0{,}15)} = 1\ 460\ 869{,}57\ \$$$

Recettes nettes annuelles avant amortissement et après impôt (+)

$$350\ 000(1-0{,}375)A_{\overline{7}|15\%}(1+0{,}15)^{-1} + 300\ 000(1-0{,}375)A_{\overline{8}|15\%}(1+0{,}15)^{-8} = 1\ 066\ 430{,}44\ \$$$

Économies d'impôt liées à l'amortissement fiscal (+)

Équipement

$$\underset{(\text{équipement})}{\text{VAEI}} = \left[\frac{(300\ 000)(0{,}20)(0{,}375)[1+(0{,}50)(0{,}15)]}{(0{,}15+0{,}20)(1+0{,}15)}\right](1+0{,}15)^{-1} = 52\ 254{,}93\ \$$$

Bâtiment

$$\underset{(\text{bâtiment})}{\text{VAEI}} = \frac{(800\ 000)(0{,}04)(0{,}375)[1+(0{,}50)(0{,}15)]}{(0{,}15+0{,}04)(1+0{,}15)} = 59\ 038{,}90\ \$$$

Valeur de revente du bâtiment (+)

$700\ 000\ (1 + 0{,}15)^{-16} = 74\ 805{,}34\ \$$

Valeur de revente du terrain (+)

$$\frac{400\ 000(1+0{,}12)^8(1+0{,}09)^8}{(1+0{,}15)^{16}} = 210\ 887{,}44\ \$$$

Économies d'impôt perdues (bâtiment) (-)

$$\frac{(700\ 000)(0{,}04)(0{,}375)}{(0{,}15+0{,}04)(1+0{,}15)^{15}} = 6791{,}54\ \$$$

Impôt à payer sur le gain en capital imposable suite à la revente du terrain (-)

Gain en capital = $400\ 000\ (1 + 0{,}12)^8\ (1 + 0{,}09)^8 - 400\ 000 = 1\ 573\ 404{,}69\ \$$

$$\underset{(\text{en valeur actuelle})}{\text{Impôt à payer}} = \frac{(1\ 573\ 404{,}69)(0{,}50)(0{,}375)}{(1+0{,}15)^{16}} = 31\ 526{,}54\ \$$$

VAN = –1 460 869,57 + 1 066 430,44 + 52 254,93 + 59 038,90 + 74 805,34 + 210 887,44 – 6791,54 – 31 526,54 = –35 770,60 $

Par conséquent, le projet n'est pas rentable.

b) La subvention aura un impact sur l'investissement et sur les économies d'impôt liées à l'amortissement fiscal.

$$\Delta VAN = \frac{100\ 000}{(1+0{,}15)} - \left[\frac{(100\ 000)(0{,}20)(0{,}375)\left(1+\frac{0{,}15}{2}\right)}{(0{,}15+0{,}20)(1+0{,}15)}\right](1+0{,}15)^{-1} = 69\ 538{,}21\ \$$$

VAN corrigée = -35 770,60 + 69 538,21=33 767,61 $

Dans ces conditions, le projet est rentable.

17. a) Investissement initial = 160 000 + 60 000 = 220 000 $

FM_1 = (600) (200) (1 - 0,32) (1 - 0,36) + (60 000) (0,20) (0,50) (0,36) = 54 384 $

$$FM_2 = (600)(200)(1-0{,}32)(1-0{,}36) + (60\ 000)(0{,}20)(0{,}36)\left(1-\frac{0{,}20}{2}\right)(1-0{,}20)^{2-2} = 56\ 112\ \$$$

$$FM_3 = (600)(200)(1-0{,}32)(1-0{,}36) + (60\ 000)(0{,}20)(0{,}36)\left(1-\frac{0{,}20}{2}\right)(1-0{,}20)^{3-2} = 55\ 334{,}40\ \$$$

$$FM_4 = (650)(250)(1-0{,}32)(1-0{,}36) + (60\ 000)(0{,}20)(0{,}36)\left(1-\frac{0{,}20}{2}\right)(1-0{,}20)^{4-2} = 73\ 208{,}32\ \$$$

Somme totale récupérée au cours des trois premières années $= 54\ 384 + 56\ 112 + 55\ 334{,}40 = 165\ 830{,}40$ $

Montant à récupérer à l'année 4 = 220 000 - 165 830,40 = 54 169,60 $

$$\text{Délai de récupération du projet} = 3 + \frac{54\ 169{,}60}{73\ 208{,}32} = 3{,}74 \text{ années}$$

b) **Investissement initial** (-)

160 000 + 60 000 = 220 000 $

Recettes nettes avant amortissement et après impôt (+)

$$(600)(200)(1-0{,}32)(1-0{,}36)\,A_{\overline{3}|14{,}40\%}{}^{*}$$
$$+(650)(250)(1-0{,}32)(1-0{,}36)\,A_{\overline{3}|14{,}40\%}(1+0{,}1440)^{-3}$$
$$= 229\ 366{,}25\ \$$$

* Le taux d'actualisation approprié se calcule ainsi : (1 + 0,10) (1 + 0,04) - 1 = 14,40%.

Économies d'impôt liées à l'amortissement fiscal (+)

$$\frac{(60\ 000)(0{,}20)(0{,}36)\left(1+\frac{0{,}1440}{2}\right)}{(0{,}1440+0{,}20)(1+0{,}1440)} = 11\ 767{,}77\ \$$$

Valeur de revente du terrain (+)

$$\frac{160\ 000(1+0{,}04)^6}{(1+0{,}144)^6} = 90\ 315{,}83\ \$$$

Impôt à payer sur le gain en capital imposable (-)

$$\frac{[160\ 000(1+0{,}04)^6 - 160\ 000](0{,}50)(0{,}36)}{(1+0{,}1440)^7} = 2\ 979{,}74\ \$$$

Calcul de la VAN

VAN = -220 000 + 229 366,25 + 11 767,77 + 90 315,83 - 2 979,74 = 108 470,11 $

Le projet devrait être accepté.

18. a) Il s'agit d'utiliser la relation de Fisher :

$(1+TI)\cdot(1+TR)=(1+TN)$

$(1+0{,}08)\cdot(1+TR)=(1+0{,}16)$

d'où : TR = 7,41%

Avec un taux d'inflation de 6%, on a : TN = (1 + 0,0741)·(1 + 0,06) - 1 = 13,85%.

b) $$FM_3 = \underbrace{100\ 000(1+0,06)^3(1-0,40)}_{\text{Économies annuelles de la 3}^{\text{e}}\text{ année après impôt}} + \underbrace{145\ 000\left(1-\frac{0,04}{2}\right)(1-0,04)^{3-2}(0,04)(0,40)}_{\text{Économie d'impôt liée à l'amortissement du bâtiment}}$$

$$+\underbrace{60\ 000\left(1-\frac{0,20}{2}\right)(1-0,20)^{3-2}(0,20)(0,40)}_{\text{Économie d'impôt liée à l'amortissement de l'équipement}}$$

$$= 77\ 099,62\ \$$$

c) **Investissement initial** (-)

65 000 + 145 000 + 60 000 + 30 000 = 300 000 $

Économies annuelles avant amortissement et après impôt (+)

$$\frac{100\ 000(1-0,40)(1+0,06)}{(1+0,1385)} + \frac{100\ 000(1-0,40)(1+0,06)^2}{(1+0,1385)^2} + \frac{100\ 000(1-0,40)(1+0,06)^3}{(1+0,1385)^3}$$

$$=156\ 299,19\ \$$$

Économies d'impôt liées à l'amortissement fiscal (+)

Équipement

$$\frac{(60\ 000)(0,20)(0,40)[1+(0,50)(0,1385)]}{(0,1385+0,20)(1+0,1385)} = 13\ 317,69\ \$$$

Bâtiment

$$\frac{(145\ 000)(0,04)(0,40)[1+(0,50)(0,1385)]}{(0,1385+0,04)(1+0,1385)} = 12\ 206,64\ \$$$

Valeur de revente de l'équipement (+)

$$\frac{10\ 000(1+0,06)^3}{(1+0,1385)^3} = 8070,84\ \$$$

Valeur de revente du terrain (+)

$$\frac{110\ 000(1+0,06)^3}{(1+0,1385)^3} = 88\ 779,19\ \$$$

Valeur de revente du bâtiment (+)

$$\frac{125\ 000(1+0,06)^3}{(1+0,1385)^3} = 100\ 885,44\ \$$$

Économies d'impôt perdues (-)

Équipement

$$\frac{(10\ 000)(1+0,06)^3(0,20)(0,40)}{(0,1385+0,20)(1+0,1385)^3} = 1907,44\ \$$$

Bâtiment

$$\frac{(145\ 000)(0,04)(0,40)}{(0,1385+0,04)(1+0,1385)^3} = 8807,46\ \$$$

Impôt à payer sur le gain en capital imposable suite à la revente du terrain (-)

$$\text{Impôt à payer (en valeur actuelle)} = \frac{[110\ 000(1+0,06)^3 - 65\ 000](0,50)(0,40)}{(1+0,1385)^4} = 7\ 858,13\ \$$$

Impôt à payer sur le gain en capital imposable suite à la revente du bâtiment (-)

$$\frac{[125\ 000(1+0,06)^3 - 145\ 000](0,50)(0,40)}{(1+0,1385)^4} = 461,52\ \$$$

Récupération du fonds de roulement (+)

$$\frac{30\ 000}{(1+0,1385)^3} = 20\ 329,29\ \$$$

Calcul de la VAN

VAN = -300 000 + 156 299,19 + 13 317,69 + 12 206,64 + 8 070,84 + 88 779,19 + 100 885,44 - 1 907,44 -8 807,46 - 7 858,13 - 461,52 + 20 329,29 = 80 853,73 $

Par conséquent, le projet devrait être accepté.

d) 1. Diminution
2. Augmentation
3. Aucun effet
4. Diminution
5. Augmentation
6. Diminution
7. Augmentation

19. a) $FM_3 = (R_3 - D_3)(1 - T) + A_3 \cdot T$

$$FM_3 = \left[\underbrace{(60\ 000 - 30\ 000)}_{\text{Écon. sur les salaires pour l'année 1}} + \underbrace{(5\ 000 - 3\ 000)}_{\text{Écon. sur les frais pour l'année 1}}\right](1,05)^2(1-0,40)$$
$$+ (125\ 000 - 20\ 000)\left(1 - \frac{0,20}{2}\right)(1-0,20)^{3-2}(0,20)(0,40)$$

$$FM_3 = 27\ 216\ \$$$

b) VAN = -(125 000 - 20 000)

$$+ \frac{(105\ 000)(0,20)(0,40)\left(1+\frac{0,1550^*}{2}\right)}{(0,1550+0,20)(1+0,1550)} + \frac{32\ 000(1-0,40)}{(1+0,1550)} + \frac{32\ 000(1,05)(1-0,40)}{(1+0,1550)^2}$$
$$+ \frac{32\ 000(1,05)^2(1-0,40)}{(1+0,1550)^3} + \frac{32\ 000(1,05)^3(1-0,40)}{(1+0,1550)^4} + \frac{32\ 000(1,05)^4(1-0,40)}{(1+0,1550)^5}$$
$$+ \frac{(25\ 000 - 6\ 000)}{(1+0,1550)^5} - \frac{(25\ 000-6\ 000)(0,20)(0,40)}{(0,1550+0,20)(1+0,1550)^5}$$

VAN = -6 447,92 $. Le projet n'est pas rentable.

* Taux d'actualisation = (1 + 0,10) (1 + 0,05) - 1 = 15,50%.

c) (125 000 - 20 000) (1 + TRI*)^5

$$=\left[\frac{(105\ 000)(0,20)(0,40)\left(1+\frac{0,1550}{2}\right)}{(0,1550+0,20)(1+0,1550)}\right](1+0,1550)^5$$
$$+[(32\ 000)(1+0,1550)^4$$
$$+(32\ 000)(1,05)(1+0,1550)^3+(32\ 000)(1,05)^2(1+0,1550)^2$$
$$+(32\ 000)(1,05)^3(1+0,1550)^1+(32\ 000)(1,05)^4](1-0,40)+(25\ 000-6\ 000)$$
$$-\left[\frac{(25\ 000-6\ 000)(0,20)(0,40)}{(0,1550+0,20)(1+0,1550)^5}\right](1+0,1550)^5$$

(125 000 - 20 000) (1 + TRI*)^5 = 202 570,28 $
d'où : TRI* = TRI corrigé = 14,05%

20. Investissement initial (-)

Coût de la nouvelle machine	40 000 $
Moins : valeur de revente de la vieille machine	(12 000)
	28 000 $

Économies associées aux frais de fabrication après impôt (+)

$$[(12\ 500+4000+800)-(4000+3400+1000)]\cdot(1-0,30)\cdot A_{\overline{10}|14\%}=32\ 496,40\ \$$$

Sortie de fonds capitalisable en cours de projet (-)

$$5500(1+0,14)^{-4}-\left[\frac{(5500)(0,20)(0,30)\left(1+\frac{0,14}{2}\right)}{(0,14+0,20)\cdot(1+0,14)}\right]\cdot(1+0,14)^{-3}=2641,55\ \$$$

Sortie de fonds évitées (+)

$$2\ 000(1+0,14)^{-4}-\left[\frac{(2\ 000)(0,20)(0,30)\left(1+\frac{0,14}{2}\right)}{(0,14+0,20)\cdot(1+0,14)}\right]\cdot(1+0,14)^{-3}$$
$$+3\ 000(1-0,30^*)(1+0,14)^{-7}=1\ 799,80\ \$$$

* D'un point de vue fiscal, il est plus avantageux pour l'entreprise de considérer le montant de 3 000 $ comme une dépense, plutôt que de le capitaliser.

Économies d'impôt liées à l'amortissement fiscal (+)

Solde de la classe au début de l'année 11 si on achète la nouvelle machine

$$=48\ 000\left(1-\frac{0,20}{2}\right)(1-0,20)^{13-2}$$
$$+28\ 000\left(1-\frac{0,20}{2}\right)(1-0,20)^{11-2}+5500\left(1-\frac{0,20}{2}\right)(1-0,20)^{8-2}$$
$$=8390,75\ \$$$

$$\text{Solde de la classe au début de l'année 11 si on garde la vieille machine} = 48\,000\left(1-\frac{0,20}{2}\right)(1-0,20)^{13-2} + 2000\left(1-\frac{0,20}{2}\right)(1-0,20)^{8-2} = 4182,71\ \$$$

$$\text{d'où : VAEI} = \frac{(40\,000-12\,000)(0,20)(0,30)\left(1+\frac{0,14}{2}\right)}{(0,14+0,20)(1+0,14)} - \frac{(8390,75-4182,71)(0,20)(0,30)}{(0,14+0,20)\cdot(1+0,14)^{10}} = 4\,437,46\ \$$$

Valeur de revente (+)

$(11\ 000 - 5\ 000)\ (1+0,14)^{-10} = 1\ 618,46\ \$$

Impôt à payer (-)

Étant donné la fermeture de classe et des prix de vente supérieurs aux valeurs aux livres, il y aura de l'impôt à payer sur la récupération d'amortissement.

$$\text{Impôt à payer à la fin de l'année 11 si on achète la nouvelle machine} = (11\,000-8390,75)(0,30) = 782,78\ \$$$

$$\text{Impôt à payer à la fin de l'année 11 si on garde la vieille machine} = (5000-4182,71)(0,30) = 245,19\ \$$$

$$\text{d'où : Impôt supplémentaire à payer si on réalise le projet (en valeur actuelle)} = \frac{782,78-245,19}{(1+0,14)^{11}} = 127,20\ \$$$

Calcul de la VAN

VAN = −28 000 + 32 496,40 − 2 641,55 + 1 799,80 + 4 437,46 + 1 618,46 − 127,20

= 9 583,37$

Le projet devrait donc être accepté.

21. a) $(1 + r) = (1 + 0,10)\ (1 + 0,06)$

d'où : $r = 16,60\%$

b) $$FM_3 = (300\ 000 - 130\ 000)\ (1,06)^2\ (1 - 0,38) + (380\ 000)(0,04)(0,38)\left(1-\frac{0,04}{2}\right)(1-0,04)^{3-2} + (200\ 000)(0,20)(0,38)\left(1-\frac{0,20}{2}\right)(1-0,20)^{3-2} - 18\ 000 = 116\ 805,50\ \$$$

c) $$\text{Taux mensuel équivalent à 10\% capitalisé semestriellement} = \left(1+\frac{0,10}{2}\right)^{2/12} - 1 = 0,008164846$$

$380\ 000 = R\,A_{\overline{300|}0,008164846}$

d'où : $R = 3\ 399,05\ \$$

$$\text{Solde de l'emprunt au début de l'année 11} = 3399{,}05\,A_{\overline{180}|0{,}008164846} = 319\ 979{,}88\ \$$$

$$\text{Valeur de revente du bâtiment} = (110\%)(319\ 979{,}88) = 351\ 977{,}87\ \$$$

d) **Investissement initial** (-)

180 000 + 380 000 + 200 000 + 150 000 = 910 000 $

Investissement annuel dans le fonds de roulement (-)

$$18\ 000\,\ddot{A}_{\overline{9}|16{,}60\%}(1+0{,}1660)^{-1} = 81\ 214{,}40\ \$$$

Recettes nettes après impôt (+)

$$(300\ 000-130\ 000)(1-0{,}38)\left[\frac{1-\left(\frac{1+0{,}06}{1+0{,}1660}\right)^{10}}{0{,}1660-0{,}06}\right] = 610\ 978{,}65\ \$$$

Économies d'impôt liées à l'amortissement fiscal (+)

Bâtiment

$$\frac{(380\ 000)(0{,}04)(0{,}38)\left(1+\frac{0{,}1660}{2}\right)}{(0{,}1660+0{,}04)(1+0{,}1660)} = 26\ 042{,}93\ \$$$

Équipement

$$\frac{(200\ 000)(0{,}20)(0{,}38)\left(1+\frac{0{,}1660}{2}\right)}{(0{,}1660+0{,}20)(1+0{,}1660)} = 38\ 573{,}80\ \$$$

Sortie de fonds en cours de projet (-)

$$\frac{(10\ 000)(1+0{,}06)^5(1-0{,}38)}{(1+0{,}1660)^5} = 3\ 849{,}71\ \$$$

Valeur de revente du bâtiment (+)

$$\frac{351\ 977{,}87}{(1+0{,}1660)^{10}} = 75\ 775{,}68\ \$$$

Valeur de revente du terrain (+)

$$\frac{180\ 000(1+0{,}06)^{10}}{(1+0{,}1660)^{10}} = 69\ 397{,}79\ \$$$

Économies d'impôt perdues (bâtiment) (-)

$$\frac{(351\ 977{,}87)(0{,}04)(0{,}38)}{(0{,}1660+0{,}04)(1+0{,}1660)^{10}} = 5591{,}22\ \$$$

Récupération du fonds de roulement (+)

$$\frac{150\ 000+(9)(18\ 000)}{(1+0{,}1660)^{10}}=67\ 169{,}03\ \$$$

Impôt sur le gain en capital imposable (terrain) (–)

$$\frac{[180\ 000(1+0{,}06)^{10}-180\ 000](0{,}50)(0{,}38)}{(1+0{,}1660)^{11}}=4993{,}84\ \$$$

Calcul de la VAN

VAN = –910 000 – 81 214,40 + 610 978,65 + 26 042,93 + 38 573,80 – 3849,71
+ 75 775,68 + 69 397,79 – 5591,22 + 67 169,03– 4993,84
= –117 711,29 \$. On devrait donc refuser le projet.

22. a) $$FM_3=(350\ 000-100\ 000)(1-0{,}36)+(800\ 000)(0{,}20)(0{,}36)\left(1-\frac{0{,}20}{2}\right)(1-0{,}20)^{3-2}-50\ 000(1-0{,}36)=169\ 472\ \$$$

b) $$VAN=-800\ 000+(350\ 000-100\ 000)(1-0{,}36)A_{\overline{5}|14\%}+\frac{(800\ 000)(0{,}20)(0{,}36)\left(1+\frac{0{,}14}{2}\right)}{(0{,}14+0{,}20)(1+0{,}14)}-50\ 000\ddot{A}_{\overline{5}|14\%}+(50\ 000)(0{,}36)A_{\overline{5}|14\%}+\frac{294\ 912^*}{(1+0{,}14)^5}-\frac{(294\ 912)(0{,}20)(0{,}36)}{(0{,}14+0{,}20)(1+0{,}14)^5}=-104\ 855{,}45\ \$$$

Le projet devrait donc être refusé.

---

* Solde au début de l'année 6 $= 800\ 000\left(1-\frac{0{,}20}{2}\right)(1-0{,}20)^{6-2}=294\ 912\ \$$

23. a) $VAN(A)=30\ 000A_{\overline{5}|10\%}-100\ 000=13\ 723{,}60\ \$$

$VAN(B)=50\ 000A_{\overline{5}|10\%}-150\ 000=39\ 539{,}34\ \$$

On retient le projet B, car A et B sont mutuellement exclusifs.

Les projets C et D sont complémentaires. Ils doivent donc être regroupés.

$VAN(C+D)=300\ 000A_{\overline{3}|10\%}-650\ 000=96\ 055{,}60\ \$$

On retient C et D.

$VAN(E)=50\ 000A_{\overline{8}|10\%}-200\ 000=66\ 746{,}31\ \$$

On retient E.

$VAN(F)=80\ 000A_{\overline{6}|10\%}-300\ 000=48\ 420{,}86\ \$$

On retient F.

$VAN(G)=125\ 000A_{\overline{4}|10\%}-350\ 000=46\ 233{,}18\ \$$

On retient G.

$\text{VAN(H)} = 30\ 000\, A_{\overline{3}|10\%} - 50\ 000 = 24\ 605{,}56\ \$$

On retient H.

Conclusion. On retient les projets B, C, D, E, F, G et H.

b) Les projets B, C, D et E. La VAN totale est alors de 202 341,25 $ et le budget des investissements de 1 000 000 $.

24.

$$\text{VAN (si le projet dure 1 an)} = -24\ 000 + \frac{(8\ 000+21\ 000)}{(1+0{,}12)^1} = 1\ 892{,}86\ \$$$

$$\text{VAN (si le projet dure 2 ans)} = -24\ 000 + 8\ 000\, A_{\overline{2}|12\%} + \frac{18\ 000}{(1+0{,}12)^2} = 3\ 869{,}90\ \$$$

$$\text{VAN (si le projet dure 3 ans)} = -24\ 000 + 8\ 000\, A_{\overline{3}|12\%} + \frac{16\ 000}{(1+0{,}12)^3} = 6\ 603{,}13\ \$$$

$$\text{VAN (si le projet dure 4 ans)} = -24\ 000 + 8\ 000\, A_{\overline{3}|12\%} + \frac{(6\ 000+14\ 000)}{(1+0{,}12)^4} = 7\ 925{,}01\ \$$$

$$\text{VAN (si le projet dure 5 ans)} = -24\ 000 + 8\ 000\, A_{\overline{3}|12\%} + \frac{6\ 000}{(1+0{,}12)^4} + \frac{(3\ 000+12\ 000)}{(1+0{,}12)^5} = 7\ 538{,}36\ \$$$

La durée de vie optimale est donc de 4 ans.

Chapitre 8

Choix des investissements à long terme III : analyse du risque

1. a) F b) F c) F d) F e) F f) V g) F h) F i) F j) F k) F l) V m) F n) V o) V p) V

2. a) Méthode de l'équivalence de certitude

$$VAN = -27\ 800 + \frac{(0,93)(10\ 000)}{(1+0,07)^1} + \frac{(0,89)(12\ 000)}{(1+0,07)^2} + \frac{(0,85)(14\ 000)}{(1+0,07)^3}$$

$VAN = -66\ \$$

b) Méthode du taux d'actualisation ajusté

$$VAN = -27\ 800 + \frac{10\ 000}{(1+0,12)} + \frac{12\ 000}{(1+0,12)^2} + \frac{14\ 000}{(1+0,12)^3}$$

$VAN = 660\ \$$

c) $\alpha_1 = \left(\frac{1+0,07}{1+0,12}\right) = 0,9554$

$$\alpha_2 = \left(\frac{1+0,07}{1+0,12}\right)^2 = 0,9127$$

$$\alpha_3 = \left(\frac{1+0,07}{1+0,12}\right)^3 = 0,8720$$

3. a) **Calcul de la VAN - Méthode du taux d'actualisation ajusté**

Taux d'actualisation ajusté = 13% + 5% = 18%

$$VAN = 35\,000(1+0,18)^{-1} + 33\,000(1+0,18)^{-2} + 30\,000(1+0,18)^{-3} + 28\,000(1+0,18)^{-4} + 25\,000(1+0,18)^{-5} - 100\,000$$

$VAN = -3\,010\ \$$

Calcul de la VAN - Méthode de l'équivalence de certitude

$$VAN = \frac{(0,95)(35\ 000)}{(1+0,09)} + \frac{(0,90)(33\ 000)}{(1+0,09)^2} + \frac{(0,85)(30\ 000)}{(1+0,09)^3} + \frac{(0,80)(28\ 000)}{(1+0,09)^4} + \frac{(0,75)(25\ 000)}{(1+0,09)^5} - 100\ 000$$

$VAN = 3\ 248\ \$$

b) $\alpha_1 = \left(\frac{1+0{,}09}{1+0{,}18}\right) = 0{,}9237$

$$\alpha_2 = \left(\frac{1+0{,}09}{1+0{,}18}\right)^2 = 0{,}8533$$

$$\alpha_3 = \left(\frac{1+0{,}09}{1+0{,}18}\right)^3 = 0{,}7882$$

$$\alpha_4 = \left(\frac{1+0{,}09}{1+0{,}18}\right)^4 = 0{,}7281 \text{ et } \alpha_5 = \left(\frac{1+0{,}09}{1+0{,}18}\right)^5 = 0{,}6725$$

Preuve

$$\text{VAN} = \frac{(0,9237)(35\ 000)}{(1+0,09)} + \frac{(0,8533)(33\ 000)}{(1+0,09)^2} + \frac{(0,7882)(30\ 000)}{(1+0,09)^3} + \frac{(0,7281)(28\ 000)}{(1+0,09)^4} + \frac{(0,6725)(25\ 000)}{(1+0,09)^5} - 100\ 000 \approx 3\ 010\ \$$$

4. Calculons, en premier lieu, le flux monétaire espéré pour chacune des années :

$E(FM_1) = (0{,}25)(16\,000) + (0{,}40)(22\,000) + (0{,}35)(26\,000) = 21\,900\ \$$

$E(FM_2) = (0{,}20)(20\,000) + (0{,}60)(30\,000) + (0{,}20)(40\,000) = 30\,000\ \$$

$E(FM_3) = (0{,}20)(70\,000) + (0{,}70)(80\,000) + (0{,}10)(90\,000) = 79\,000\ \$$

d'où : $\text{VAN} = -70\ 000 + \frac{(0,95)(21\ 900)}{(1+0,09)} + \frac{(0,80)(30\ 000)}{(1+0,09)^2} + \frac{(0,75)(79\ 000)}{(1+0,09)^3} = 15\ 039\ \$$

Le projet devrait donc être accepté.

5. **Projet A**

$E(VAN_A) = (0{,}10)(500\,000) + (0{,}70)(350\,000) + (0{,}20)(-100\,000)$

$E(VAN_A) = 275\,000\ \$$

$\sigma(VAN_A) = [(0{,}10)(500\,000 - 275\,000)^2 + (0{,}70)(350\,000 - 275\,000)^2 + (0{,}20)(-100\,000 - 275\,000)^2]^{1/2}$

$\sigma(VAN_A) = 192\,678\ \$$

$$CV_A = \frac{192\ 678}{275\ 000} = 0{,}70$$

Projet B

$E(VAN_B) = (0{,}10)(400\,000) + (0{,}70)\,300\,000) + (0{,}20)(100\,000)$

$E(VAN_B) = 270\,000\ \$$

$\sigma(VAN_B) = [(0{,}10)(400\,000 - 270\,000)^2 + (0{,}70)(300\,000 - 270\,000)^2 + (0{,}20)(100\,000 - 270\,000)^2]^{1/2}$

$\sigma(VAN_B) = 90\,000\ \$$

$$CV_B = \frac{90\ 000}{270\ 000} = 0{,}33$$

On devrait alors choisir le projet B.

6. a) **Scénario pessimiste**

Recettes annuelles = (900 000) (0,008) (3 300) = 23 760 000 $

Déboursés annuels = (900 000) (0,008) (2 800) + 3 500 000 = 23 660 000 $

$$VAN = -15\ 000\ 000 + \frac{(15\ 000\ 000)(0,20)(0,50)[1+(0,50)(0,12)]}{(0,12+0,20)(1+0,12)} + (23\ 760\ 000 - 23\ 660\ 000)(1-0,50)A_{\overline{6}|12\%}$$

$$VAN = -10\ 358\ 046\ \$$$

Scénario réaliste

Recettes annuelles = (1 000 000) (0,01) (3 500) = 35 000 000 $

Déboursés annuels = (1 000 000) (0,01) (2 600) + 3 000 000 = 29 000 000 $

$$VAN = -15\ 000\ 000 + \frac{(15\ 000\ 000)(0,20)(0,50)[1+(0,50)(0,12)]}{(0,12+0,20)(1+0,12)} + (35\ 000\ 000 - 29\ 000\ 000)(1-0,50)A_{\overline{6}|12\%}$$

$$VAN = 1\ 770\ 606\ \$$$

Scénario optimiste

Recettes annuelles = (1 100 000) (0,012) (3 700) = 48 840 000 $

Déboursés annuels = (1 100 000) (0,012) (2 400) + 2 500 000 = 34 180 000 $

$$VAN = -15\ 000\ 000 + \frac{(15\ 000\ 000)(0,20)(0,50)[1+(0,50)(0,12)]}{(0,12+0,20)(1+0,12)} + (48\ 840\ 000 - 34\ 180\ 000)(1-0,50)A_{\overline{6}|12\%}$$

$$VAN = 19\ 573\ 000\ \$$$

b) **Analyse de sensibilité (scénario réaliste)**

Variable : taille du marché (Z)

La valeur que doit prendre cette variable pour que la VAN soit nulle se calcule comme suit :

$$0 = -15\ 000\ 000 + \frac{(15\ 000\ 000)(0,20)(0,50)[1+(0,50)(0,12)]}{(0,12+0,20)(1+0,12)} + [(Z)(0,01)(3500) - (Z)(0,01)(2600) - 3\ 000\ 000](1-0,50)A_{\overline{6}|12\%}$$

$$0 = -15\ 000\ 000 + 4\ 436\ 384 + (9Z - 3\ 000\ 000)(1-0,50)A_{\overline{6}|12\%}$$

$$10\ 563\ 616 = (9Z - 3\ 000\ 000)(1-0,50)(4,1114)$$

$$Z \approx 904\ 299$$

$$\text{Variation maximale} = \frac{904\ 299 - 1\ 000\ 000}{1\ 000\ 000} = -9,57\%$$

Variable : part du marché (Y)

$$0 = -15\ 000\ 000 + 4\ 436\ 384 + [(1\ 000\ 000)(Y)(3500) - (1\ 000\ 000(Y)(2600)$$
$$-3\ 000\ 000](1-0,50)A_{\overline{6}|12\%}$$

$$10\ 563\ 616 = (900\ 000\ 000Y - 3\ 000\ 000)(1-0,50)A_{\overline{6}|12\%}$$

$$10\ 563\ 616 = (900\ 000\ 000Y - 3\ 000\ 000)(1-0,50)(4,1114)$$

$$Y = 0,00904299$$

$$\text{Variation maximale} = \frac{0{,}00904299 - 0{,}01}{0{,}01} = -9{,}57\%$$

Il n'était pas nécessaire d'effectuer les calculs puisque le résultat devait être nécessairement le même que celui trouvé précédemment.

Variable : prix de vente unitaire (P)

$$10\ 563\ 616 = [(1\ 000\ 000)(0{,}01)(P) - (1\ 000\ 000(0{,}01)(2600) - 3\ 000\ 000](1-0{,}50)A_{\overline{6}|12\%}$$

$$10\ 563\ 616 = [10\ 000P - 29\ 000\ 000](1-0{,}50)(4{,}1114)$$

$$P = 3\ 413{,}87\ \$$$

$$\text{Variation maximale} = \frac{3413{,}87 - 3500}{3500} = -2{,}46\%$$

Variable : frais variables par unité (V)

$$10\ 563\ 616 = [(1\ 000\ 000)(0{,}01)(3500) - (1\ 000\ 000(0{,}01)(V) - 3\ 000\ 000](1-0{,}50)A_{\overline{6}|12\%}$$

$$10\ 563\ 616 = [35\ 000\ 000 - 10\ 000V - 3\ 000\ 000](1-0{,}50)(4{,}1114)$$

$$V = 2\ 687{,}44\ \$$$

$$\text{Variation maximale} = \frac{2687{,}44 - 2600}{2600} = 3{,}36\%$$

Variable : frais fixes (F)

$$10\ 563\ 616 = [(1\ 000\ 000)(0{,}01)(3\ 500) - (1\ 000\ 000(0{,}01)(2\ 600) - F](1-0{,}50)A_{\overline{6}|12\%}$$

$$10\ 563\ 616 = (9\ 000\ 000 - F)(1-0{,}50)(4{,}1114)$$

$$V = 3\ 861\ 304{,}67\ \$$$

$$\text{Variation maximale} = \frac{3\ 861\ 304{,}67 - 3\ 000\ 000}{3\ 000\ 000} = 28{,}71\%$$

Sommaire des résultats

Variable étudiée	Variation pour laquelle on obtient une VAN = 0	Importance relative des variables étudiées en termes de sensibilité
Taille du marché et part du marché	-9,57%	3
Prix de vente unitaire	-2,46%	1
Frais variables/unité	3,36%	2
Frais fixes	28,71%	4

7. a) $\text{VAN} = -15\ 000\ 000 + [(100-60)(200\ 000) - 3\ 500\ 000](1-0{,}36)A_{\overline{5}|15\%}$

$$+ \frac{(15\ 000\ 000)(0{,}20)(0{,}36)[1+(0{,}50)(0{,}15)]}{(0{,}15+0{,}20)(1+0{,}15)}$$

$\text{VAN} = -2\ 461\ 321{,}27\ \$ \Rightarrow$ refuser le projet.

b) $\text{VAN} = -15\ 000\ 000 + [(90-60)(350\ 000) - 3\ 700\ 000](1-0,36)\,A_{\bar{5}|15\%}$

$$+\frac{(15\ 000\ 000)(0,20)(0,36)[1+(0,50)(0,15)]}{(0,15+0,20)(1+0,15)}$$

$\text{VAN} = 2\ 473\ 051,04\ \$ \Rightarrow$ le projet devrait alors être accepté.

8. a)

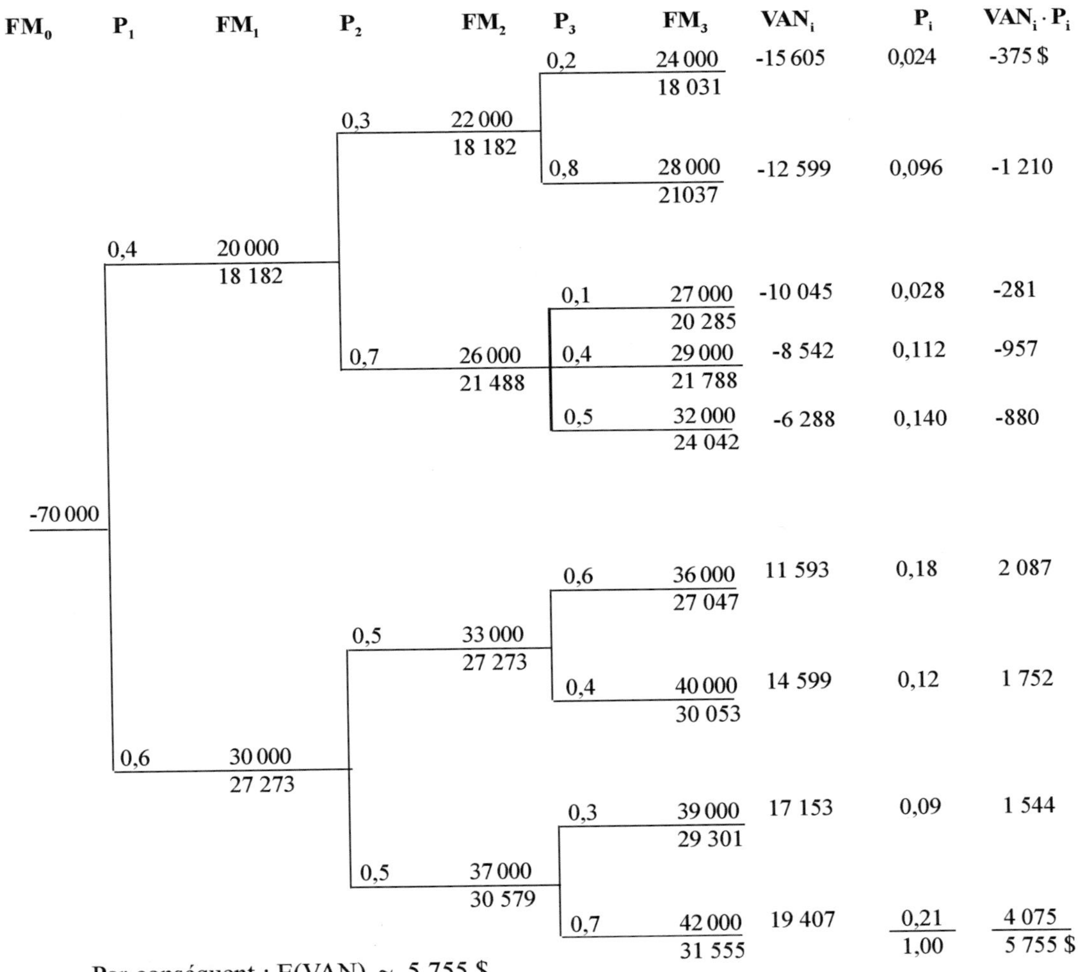

Par conséquent : E(VAN) ≈ 5 755 $

Calcul de l'écart-type de la VAN

$$
\begin{aligned}
\sigma^2(\text{VAN}) &= (-15\,605 - 5755)^2 \times 0,024 &= 10\,949\,990,40\\
&+ (-12\,599 - 5755)^2 \times 0,096 &= 32\,339\,454,34\\
&+ (-10\,045 - 5755)^2 \times 0,028 &= 6\,989\,920,00\\
&+ (-8542 - 5755)^2 \times 0,112 &= 22\,893\,271,41\\
&+ (-6288 - 5755)^2 \times 0,14 &= 20\,304\,738,86\\
&+ (11\,593 - 5755)^2 \times 0,18 &= 6\,134\,803,92\\
&+ (14\,599 - 5755)^2 \times 0,12 &= 9\,385\,960,32\\
&+ (17\,153 - 5755)^2 \times 0,09 &= 11\,692\,296,36\\
&+ (19\,407 - 5755)^2 \times 0,21 &= 39\,139\,191,84\\
& &\overline{159\,829\,627,55}
\end{aligned}
$$

$\sigma(\text{VAN}) = \sqrt{159\ 829\ 627{,}55}$

$\sigma(\text{VAN}) = 12\ 642{,}37 \approx 12\ 642\ \$$

b) $\text{CV} = \dfrac{12\ 642}{5755} = 2{,}20$

On devrait donc refuser le projet. L'écart-type du projet est relativement élevé compte tenu de la VAN espérée du projet.

9. Étant donné que les flux monétaires sont indépendants, on aura recours aux formules statistiques suivantes :

a) Calcul de la VAN espérée

$$E(\text{VAN}) = \sum_{t=0}^{n} \frac{E(\text{FM}_t)}{(1+r)^t}$$

$E(\text{FM}_1) = (2\ 000)(0{,}60) + (3\ 000)(0{,}40) = 2\ 400\ \$$

$E(\text{FM}_2) = (2\ 500)(0{,}20) + (3\ 000)(0{,}50) + (4\ 000)(0{,}30) = 3\ 200\ \$$

$E(\text{FM}_3) = (3\ 000)(0{,}70) + (5\ 000)(0{,}30) = 3\ 600\ \$$

$E(\text{VAN}) = -7\ 000 + 2\ 400\,(1+0{,}12)^{-1} + 3\ 200\,(1+0{,}12)^{-2} + 3\ 600\,(1+0{,}12)^{-3}$

$E(\text{VAN}) = 256{,}29\ \$$

b) Calcul de l'écart-type

$$\sigma^2(\text{VAN}) = \sum_{t=0}^{n} \frac{\sigma^2(\text{FM}_t)}{(1+r)^{2t}}$$

$\sigma^2(\text{FM}_1) = (2000 - 2400)^2(0{,}60) + (3000 - 2400)^2(0{,}40) = 240\ 000$

$\sigma^2(\text{FM}_2) = (2500 - 3200)^2(0{,}20) + (3000 - 3200)^2(0{,}50) + (4000 - 3200)^2(0{,}30) = 310\ 000$

$\sigma^2(\text{FM}_3) = (3000 - 3600)^2(0{,}70) + (5000 - 3600)^2(0{,}30) = 840\ 000$

$\sigma^2(\text{VAN}) = 240000\,(1+0{,}12)^{-(2)(1)} + 310\ 000\,(1+0{,}12)^{-(2)(2)} + 840\ 000\,(1+0{,}12)^{-(3)(2)}$

$\sigma^2(\text{VAN}) = 813\ 907{,}28$

et

$\sigma(\text{VAN}) = 902{,}17\ \$$

c) $P(\text{VAN} < 0) = P\left(Z < \dfrac{0 - 256{,}29}{902{,}17}\right) = P(Z < -0{,}28) = 0{,}3897$

Le projet devrait donc être refusé (38,97% > 10%).

d) Si les flux monétaires étaient totalement dépendants, l'effet de diversification serait moins important et, par conséquent, le risque ou l'écart-type augmenterait.

10. a) Le flux monétaire de l'année 2 est corrélé positivement avec celui de l'année 1. Il s'agit d'une situation de dépendance partielle.

b)

FM_0	P_1	FM_1	P_2	FM_2	VAN_j	P_j	$VAN_j \cdot P_j$
– 30 000	0,20	12 000 11 111	0,70	12 000 10 288	-8 601	0,14	-1 204
			0,20	24 000 20 576	1 687	0,04	67
			0,10	36 000 30 864	11 975	0,02	240
	0,50	24 000 22 222	0,80	24 000 20 576	12 798	0,40	5 119
			0,10	12 000 10 288	2510	0,05	126
			0,10	36 000 30 864	23 086	0,05	1 154
	0,30	36 000 33 333	0,60	36 000 30 864	34 197	0,18	6 155
			0,30	24 000 20 576	23 909	0,09	2 152
			0,10	12 000 10 288	13 621	0,03	409
							14 218 $

Par conséquent : E(VAN) = 14 218 $

Calcul de l'écart-type de la VAN :

$$
\begin{aligned}
\sigma^2(VAN) &= (-8601 - 14\,218)^2\,(0{,}14) \\
&+ (1687 - 14\,218)^2\,(0{,}04) \\
&+ (11\,975 - 14\,218)^2\,(0{,}02) \\
&+ (12\,798 - 14\,218)^2\,(0{,}40) \\
&+ (2510 - 14\,218)^2\,(0{,}05) \\
&+ (23\,086 - 14\,218)^2\,(0{,}05) \\
&+ (34\,197 - 14\,218)^2\,(0{,}18) \\
&+ (23\,909 - 14\,218)^2\,(0{,}09) \\
&+ (13\,621 - 14\,218)^2\,(0{,}03) \\
&= 171\,185\,065
\end{aligned}
$$

et

$\sigma(VAN) = 13\ 084$ $

c) 14%

d) Non, la probabilité d'obtenir une VAN négative excède 10%.

e) $$IR = \frac{VAN}{I} + 1$$

$$0{,}80 = \frac{VAN}{30\ 000} + 1 \Rightarrow VAN = -6\ 000\ \$$$

$$1{,}20 = \frac{VAN}{30\ 000} + 1 \Rightarrow VAN = 6\ 000\ \$$$

La probabilité d'obtenir un indice de rentabilité compris entre 0,80 et 1,20 est identique à celle d'obtenir une VAN comprise entre -6 000 $ et 6 000 $. Cette probabilité se calcule à l'aide de la loi normale centrée réduite et en faisant usage de la table de probabilité correspondante :

$$
\begin{aligned}
P(-6000 \le VAN \le 6000) &= P\left(\frac{-6000 - 14\ 218}{13\ 048} \le Z \le \frac{6000 - 14\ 218}{13\ 048}\right) \\
&= P(-1{,}55 \le Z \le -0{,}63) = 0{,}4394 - 0{,}2357 = 0{,}2037.
\end{aligned}
$$

11. **N'investir dans aucun des projets**

Dans ce cas, $\sigma_E = 1\ 000$ $

Investir dans le projet X seulement (X + E)

$$\sigma_P^2 = \sigma_E^2 + \sigma_X^2 + 2\rho_{EX}\,\sigma_E\sigma_X$$

$$\sigma_P^2 = (1000)^2 + (400)^2 + (2)(-0,80)(1000)(400)$$

$$\sigma_P^2 = 520\ 000$$

$$\sigma_P = 721,11\ \$$$

Investir dans le projet Y seulement (Y + E)

$$\sigma_P^2 = \sigma_E^2 + \sigma_Y^2 + 2\rho_{EY}\,\sigma_E\sigma_Y$$

$$\sigma_P^2 = (1000)^2 + (250)^2 + (2)(0,4)(1000)(250)$$

$$\sigma_P^2 = 1\ 262\ 500$$

$$\sigma_P = 1\ 123,61\ \$$$

Investir dans les deux projets (X + Y + E)

$$\sigma_P^2 = \begin{bmatrix} \sigma_X^2 + \rho_{XY}\sigma_X\sigma_Y + \rho_{XE}\sigma_X\sigma_E \\ +\rho_{YX}\sigma_Y\sigma_X + \sigma_Y^2 + \rho_{YE}\sigma_Y\sigma_E \\ +\rho_{EX}\sigma_E\sigma_X + \rho_{EY}\sigma_E\sigma_Y + \sigma_E^2 \end{bmatrix}$$

$$\sigma_P^2 = \begin{bmatrix} (400)^2 + (-60)(400)(250) + (-80)(400)(1000) \\ +(-60)(250)(400) + (250)^2 + (0,40)(250)(1000) \\ +(-0,80)(1000)(400) + (0,40)(1000)(250) + (1000)^2 \end{bmatrix}$$

$$\sigma_P^2 = 662\ 500$$

$$\sigma_P = 813,94\ \$$$

On devrait donc investir dans le projet X.

12. Il s'agit de calculer les différents résultats E(VAN), σ(VAN) et CV découlant de la combinaison de chacun des couples de projets avec ceux actuellement en cours dans l'entreprise.

Entreprise avec W et Y

$$E(VAN) = 7\ 900 + 30\ 800 = 38\ 700\ \$$$

$$\sigma^2(VAN) = (6\ 646)^2 + (2\ 072)^2 + 2(-5\ 160\ 000)$$

$$\sigma^2(VAN) = 38\ 142\ 500$$

$$\sigma(VAN) = 6\ 176\ \$$$

$$\frac{\sigma(VAN)}{E(VAN)} = \frac{6\ 176}{38\ 700} = 0,16$$

Entreprise avec W et Z

$$E(VAN) = 7\ 200 + 30\ 800 = 38\ 000\ \$$$

$$\sigma^2(VAN) = (6\ 646)^2 + (1\ 470)^2 + 2(4\ 320\ 000)$$

$$\sigma^2(VAN) = 54\ 970\,216$$

$$\sigma(VAN) = 7\ 414\ \$$$

$$\frac{\sigma(VAN)}{E(VAN)} = \frac{7\ 414}{38\ 000} = 0,195$$

Entreprise avec Y et Z

$$E(VAN) = 7100 + 30\ 800 = 37\ 900\ \$$$

$$\sigma^2(VAN) = (6\,646)^2 + (1374)^2 + 2(3\ 960\ 000)$$

$$\sigma^2(VAN) = 53\ 977\ 192$$

$$\sigma(VAN) = 7\,347\ \$$$

$$\frac{\sigma(VAN)}{E(VAN)} = \frac{7\,347}{37\ 900} = 0{,}194$$

On choisira les projets W et Y, puisque ces derniers procurent le plus faible risque par unité de rendement espéré. De plus, cette combinaison minimise le risque total de l'entreprise.

13. a) **Bénéfice pour 11 000 et 3 000 unités de vente**

Bénéfice avant impôt/unité = 48 × 12%	=	5,76 $
Impôt (25%)		1,44
Bénéfice après impôt/unité		4,32 $
Bénéfice après impôt pour 11 000 unités	=	47 520 $
Bénéfice après impôt pour 3 000 unités	=	12 960 $

Le taux d'actualisation utilisé est le taux sans risque, soit 12%.

Investissement initial = 50 000 + 30 000 = 80 000 $.

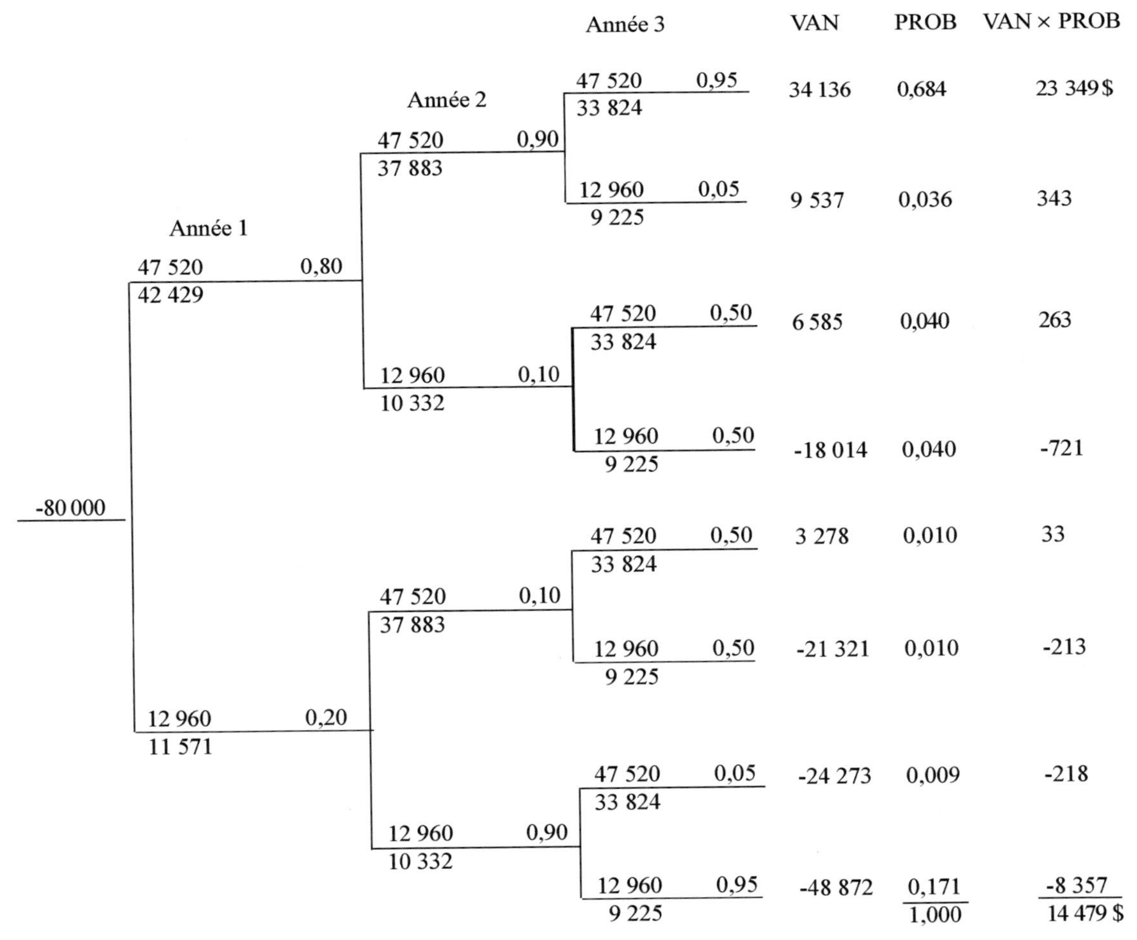

Par conséquent : $E(VAN) \approx 14\ 479\ \$$

Calcul de l'écart-type de la VAN :

$$
\begin{aligned}
\sigma^2(\text{VAN}) = & (34\,136 - 14\,479)^2 \times 0{,}684 &= 264\,295\,992 \\
& + (9\,537 - 14\,479)^2 \times 0{,}036 &= 879\,241 \\
& + (6\,585 - 14\,479)^2 \times 0{,}040 &= 2\,492\,609 \\
& + (-18\,014 - 14\,479)^2 \times 0{,}040 &= 42\,231\,802 \\
& + (3278 - 14\,479)^2 \times 0{,}010 &= 1\,254\,624 \\
& + (-21\,321 - 14\,479)^2 \times 0{,}010 &= 12\,816\,400 \\
& + (-24\,273 - 14\,479)^2 \times 0{,}009 &= 13\,515\,458 \\
& + (-48\,872 - 14\,479)^2 \times 0{,}171 &= 686\,282\,713 \\
& & 1\,023\,768\,839
\end{aligned}
$$

d'où : $\sigma(\text{VAN}) = 31\,996$ $

b) $\sigma(\text{VAN}) / E(\text{VAN}) = \dfrac{31\,996}{14\,479} = 2{,}21.$ Il devra donc refuser le projet.

c) **Projet W**

$$CV = \frac{35\,000}{28\,000} = 1{,}25$$

Projet M

$$CV = \frac{32\,000}{26\,000} = 1{,}23$$

Aucun de ces deux projets ne devrait être accepté. En effet, dans les deux cas, le coefficient de variation excède 1.

d) **Combinaison du projet W avec Milamlec**

$$
\begin{aligned}
E(\text{VAN}) &= 14\,479 + 28\,000 = 42\,479 \text{ \$} \\
\sigma^2(\text{VAN}) &= (31\,996)^2 + (35\,000)^2 + (2)(1)(31\,996)(35\,000) \\
\sigma^2(\text{VAN}) &= 4\,488\,464\,016 \\
\sigma(\text{VAN}) &= 66\,996 \text{ \$}
\end{aligned}
$$

$$CV = \frac{66\,996}{42\,479} = 1{,}577$$

Combinaison du projet M avec Milamlec

$$
\begin{aligned}
E(\text{VAN}) &= 14\,479 + 26\,000 = 40\,479 \text{ \$} \\
\sigma^2(\text{VAN}) &= (31\,996)^2 + (32\,000)^2 + (2)(-0{,}80)(31\,996)(32\,000) \\
\sigma^2(\text{VAN}) &= 409\,548\,816 \\
\sigma(\text{VAN}) &= 20\,237 \text{ \$}
\end{aligned}
$$

$CV = \dfrac{20\,237}{40\,479} = 0{,}50.$ Compte tenu du critère de décision, il devrait accepter Milamlec et le projet M.

14. a) $E(R_X) = 0{,}1\,(-0{,}40) + 0{,}3\,(0{,}08) + 0{,}4\,(0{,}25) + 0{,}2\,(0{,}50) = 18{,}4\%$

b) $E(R_M) = 0{,}1\,(-0{,}20) + 0{,}3\,(0{,}10) + 0{,}4\,(0{,}15) + 0{,}2\,(0{,}30) = 13{,}0\%$

$$
\begin{aligned}
\sigma^2(R_M) = & (-0{,}20 - 0{,}13)^2 \times 0{,}1 + (0{,}10 - 0{,}13)^2 \times 0{,}3 \\
& + (-0{,}15 - 0{,}13)^2 \times 0{,}4 + (0{,}30 - 0{,}13)^2 \times 0{,}3 = 0{,}0171
\end{aligned}
$$

$$\beta_X = \frac{\text{Cov}(R_M, R_X)}{\sigma^2(R_M)}$$

$$\begin{aligned}Cov(R_M, R_X) = &\ 0{,}1\,(-0{,}20 - 0{,}13)(-0{,}40 - 0{,}184)\\ &+ 0{,}3\,(0{,}10 - 0{,}13)(0{,}08 - 0{,}184)\\ &+ 0{,}4\,(0{,}15 - 0{,}13)(0{,}25 - 0{,}184)\\ &+ 0{,}2\,(0{,}30 - 0{,}13)(0{,}50 - 0{,}184) = 0{,}03148\end{aligned}$$

$$\beta_X = \frac{0{,}03148}{0{,}0171} = 1{,}84$$

Rendement minimal acceptable du projet X $= r + [E(R_M) - r]\beta_X = 0{,}08 + [0{,}13 - 0{,}08](1{,}84)$

$= 17{,}2\%$

c) Le projet X est acceptable, puisque son taux de rendement espéré (18,4%) est supérieur au taux de rendement minimal exigé (17,2%).

15. a) Taux de rendement requis = 0,08 + [0,15 - 0,08] (1,40) = 17,80%

d'où : $VAN = -100\ 000 + 50\ 000\, A_{\overline{3}|17{,}80\%} = 9\,062{,}89$ \$

b) $100\ 000 = 50\ 000\, A_{\overline{3}|k}$

d'où : $k = 23{,}38\%$

$0{,}2338 = 0{,}08 + (0{,}15 - 0{,}08)\,\beta_p$

d'où : $\beta_p = \dfrac{0{,}2338 - 0{,}08}{0{,}07} = 2{,}20$

Chapitre 9

Les marchés financiers

1. a) F b) F c) V d) F e) F f) F g) F h) F i) F j) F k) V

l) V m) F n) V o) F p) F q) V r) F s) F t) F

2. Montant net reçu = 50 000 000 - (50 000 000) (1,5%) - 150 000 = 49 100 000 $

3.

$$\begin{array}{c}\text{Prix de vente d'une action}\\\text{aux investisseurs}\end{array} = \text{Valeur d'une action} = \frac{2}{0{,}18-0{,}08} = 20\ \$$$

$$\text{Montant net reçu par action} = 20\,(1-0{,}07) = 18{,}60\ \$$$

$$\text{Nombre d'actions à émettre} = \frac{25\ 000\ 000}{18{,}60} = 1\ 344\,086$$

4. a)

$$\begin{array}{c}\text{Taux de rendement maximal}\\\text{requis par les actionnaires}\end{array} = 0{,}08 + (0{,}06)(1{,}35) = 16{,}10\%$$

$$\begin{array}{c}\text{Taux de rendement minimal}\\\text{requis par les actionnaires}\end{array} = 0{,}08 + (0{,}06)(1{,}25) = 15{,}50\%$$

$$\begin{array}{c}\text{Prix maximal}\\(\text{g}=10\%\ \text{ et }\ \text{k}=15{,}50\%)\end{array} = \frac{(1{,}10)(0{,}58)}{0{,}1550-0{,}10} = 11{,}60\ \$$$

$$\begin{array}{c}\text{Prix minimal}\\(\text{g}=8\%\ \text{ et }\ \text{k}=16{,}10\%)\end{array} = \frac{(1{,}10)(0{,}58)}{0{,}1610-0{,}08} = 7{,}88\ \$$$

b) Prix maximal = (10) (1,10) = 11 $
Prix minimal = (8) (1,10) = 8,80 $

5. a)

$$\begin{array}{c}\text{Nombre de nouvelles}\\\text{actions à émettre}\end{array} = \frac{\text{Montant à recueillir}}{\text{Prix de souscription}} = \frac{18\ 000\ 000}{45} = 400\ 000$$

b)

$$N = \frac{\text{Nombre d'actions ordinaires actuellement en circulation}}{\text{Nombre de nouvelles actions à émettre}}$$

$$N = \frac{4\ 000\ 000}{400\ 000} = 10$$

c)

$$VP = \frac{P_A - S}{N+1} = \frac{56-45}{10+1} = 1\ \$$$

d) Richesse de l'actionnaire avant la nouvelle émission : $100\ P_A = (100)(56) = 5\ 600\ \$$

Richesse de l'actionnaire s'il exerce ses droits de souscription

$110\ P_S - 105 = (110)(55) - (10)(45) = 5\ 600\ \$$

Richesse de l'actionnaire s'il vend ses droits de souscription

$110\,P_S + 100\,VP = (100)(55) + (100)(1) = 5\,600\ \$$

Richesse de l'actionnaire s'il laisse éteindre ses droits de souscription

$110\,P_S = (100)(55) = 5\,500\ \$$

e) $$\begin{array}{c}\text{Profit de l'investisseur} \\ \text{s'il achète des actions}\end{array} = \left(\frac{11\,000}{55}\right)(75-55) = 4\,000\ \$$$

$$\begin{array}{c}\text{Profit de l'investisseur} \\ \text{s'il achète des droits de souscription}\end{array} = \left(\frac{11\,000}{1}\right)(3^{*}-1) = 22\,000\ \$$$

* Valeur plancher d'un droit lorsque l'action se transige à 75 \$ = $\frac{75-45}{10} = 3\ \$$

6. a) $N = \frac{100\,000}{25\,000} = 4$ droits

b) Mise de fonds requise = (25 000) (34) = 850 000 \$

c) Valeur marchande après la nouvelle émission = (100 000) (38) + (25 000) (34) = 4 650 000 \$

d) # d'actions ordinaires en circulation après la nouvelle émission = 100 000 + 25 000 = 125 000

e) $P_S = \frac{4\,650\,000}{125\,000} = 37{,}20\ \$$

f) $VP = P_A - P_S = 38\ \$ - 37{,}20\ \$ = 0{,}80\ \$$

g) **Stratégie 1**

Coût d'une action = 37,20 \$

Stratégie 2

$$\text{Coût net d'une action} = \underbrace{(34)}_{\text{Prix de souscription}} + \underbrace{(4)\ (0{,}80)}_{\text{Coût de 4 droits}} = 37{,}20\ \$$$

Les deux stratégies sont équivalentes.

7. a) $VP = \frac{60-50}{4+1} = 2\ \$$

b) $$\begin{array}{c}\text{Nombre d'actions ordinaires en circulation} \\ \text{avant l'offre des droits de souscription}\end{array} = 500\,000 + \frac{500\,000}{4} = 625\,000$$

c)

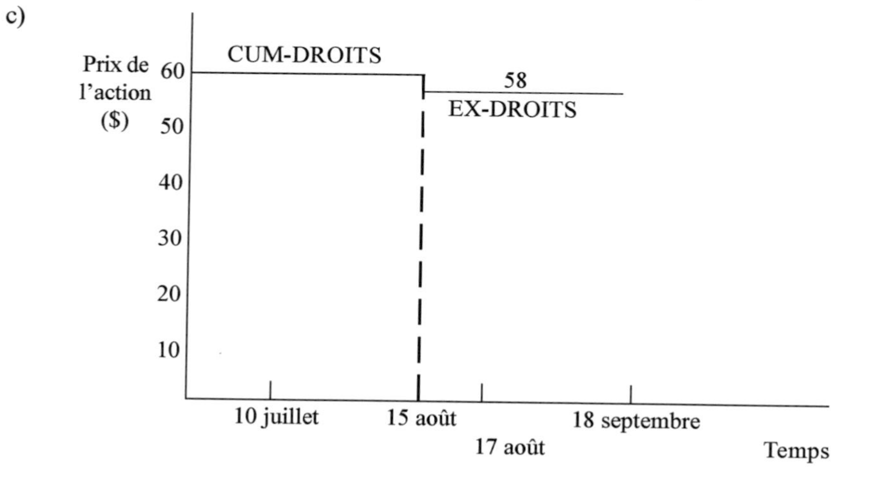

Chapitre 10

Les modes de financement à long terme

1. a) F b) F c) V d) V e) V f) V g) F h) V i) V j) F k) V l) F
m) V n) V o) F p) V q) V r) F s) F t) F u) F

2. a) VM = Valeur intrinsèque + Valeur-temps
VM = MAX [N(P - E), 0] + Valeur-temps
VM = MAX [4(24 - 20), 0] + 5
VM = 21 $

b) La nouvelle valeur intrinsèque se calcule ainsi :
Valeur intrinsèque = MAX [4{(24) (1 + 0,30) - 20}, 0]
Valeur intrinsèque = 44,80 $

d'où : Δ en % dans la valeur intrinsèque du bon de souscription $= \dfrac{44{,}80 - 16}{16} = 180\%$

c) La nouvelle valeur intrinsèque se calcule ainsi :
Valeur intrinsèque = MAX [4{(24) (1 - 0,30) - 20}, 0]
Valeur intrinsèque = 0

d'où : Δ en % dans la valeur intrinsèque du bon de souscription $= \dfrac{0 - 16}{16} = -100\%$

3. a) Valeur intrinsèque = MAX [0,25 (23 - 20), 0] = 0,75 $

b) Valeur intrinsèque = MAX [0,25 {(23) (1 - 0,40) - 20}, 0] = 0

c) Rentrée de fonds totale = (4 000 000) (0,25) (20) = 20 000 000 $

d) 1. La valeur marchande augmenterait.
2. La valeur marchande augmenterait.
3. La valeur marchande diminuerait.
4. La valeur marchande diminuerait.
5. La valeur marchande augmenterait.

4. a) VM = MAX [VS, VC] + Valeur de l'option de conversion
904,06 = MAX [VS, (25) (34)] + 6
904,06 = MAX [VS, 850] + 6
898,06 = MAX [VS, 850]
VS = 898,06 $

$$VS = CA_{\overline{n}|i} + VN(1+i)^{-n}$$

$$898{,}06 = CA_{\overline{20}|7{,}5\%} + 1000(1+0{,}075)^{-20}$$

d'où : $C = 65$ $

et taux de coupon annuel $= \frac{(2)(65)}{1000} = 13\%$

b) Il s'agit de trouver la valeur de P_0 qui permet de vérifier l'égalité suivante :
$VS = VC = (RC) \cdot (P_0)$
$898{,}06 = (25) \cdot (P_0)$
d'où : $P_0 = 35{,}92$ $

c) VM = MAX [VS, VC] + Valeur de l'option de conversion
VM = MAX [898,06; (25)(34)(1 + 0,20)] + 2
VM = MAX [898,06; 1,020] + 2
VM = 1 022 $

d) Lorsque leur valeur marchande atteindra le prix de rachat, soit 1 040 $.

5. a) Valeur de conversion = (50) · (28) = 1 400 $
La compagnie est en mesure de forcer la conversion car la valeur de conversion excède la valeur de rachat.

b) Le détenteur sera indifférent lorsque :
Valeur de rachat = Valeur de conversion
$1200 = (RC)(P_0)$
$1200 = (50)(P_0)$
d'où : $P_0 = 24$ $

6. a) $\text{Prix de l'action ordinaire} = \frac{D_0(1+g)}{k-g} = \frac{1{,}217(1+0{,}09)}{[0{,}10+(0{,}05)(1{,}50)]-0{,}09} = 15{,}61$ $

et
VC = (50) (15,61) = 780,50 $

b) $1200 = (50)(15{,}61)(1+0{,}09)^n$ d'où : n = 5 ans

c) Taux semestriel équivalent $= (1+0{,}08)^{1/2} - 1 = 3{,}92\%$

$$1000(1+r)^5 = 75S_{\overline{10}|3{,}92\%} + 1200 \quad \text{d'où : } r = 15{,}96\%$$

7. a) $VS = \frac{D_p}{k} = \frac{6}{0{,}15} = 40$ $

b) $VC = (RC) \cdot (P_0) = (3) \cdot (15) = 45$ $

c) VM = MAX [VS, VC] + Valeur de l'option de conversion
48 = MAX [40, 45] + Valeur de l'option de conversion
d'où : valeur de l'option de conversion = 3 $

8. a) Valeur intrinsèque = MAX [N(P - E), 0]
= MAX [2(16 - 12), 0] = 8 $

b) i) N = (4) (2) = 8 ii) E = 12/4 = 3 $

9. a) $\text{Nombre de débentures à émettre} = \frac{2\,000\,000}{1\,000} = 2\,000$

Nombre total d'actions en circulation après la conversion = 500 000 + (2000) (50) = 600 000

d'où : Pourcentage des actions de la compagnie possédé par M. Beaulieu après la conversion $= \frac{(0{,}70)(500\,000)}{600\,000} = 58{,}33\%$

b) $\text{Nombre de débentures à émettre} = \frac{2\ 000\ 000}{1\ 000} = 2\ 000$

Nombre total de bons de souscription $= (2\ 000)(4) = 8\ 000$

$\text{Nombre total d'actions en circulation après l'exercice des bons de souscription} = 500\ 000 + (8\ 000)(50) = 540\ 000$

d'où : $\text{Pourcentage des actions de la compagnie possédé par M. Beaulieu après l'exercice des bons de souscription} = \frac{(0{,}70)(500\ 000)}{540\ 000} = 64{,}81\%$

10. a) **Calcul des coûts associés au refinancement**

Frais d'émission et de souscription	500 000,00 $
Moins : valeur actualisée des économies d'impôt liées aux frais d'émission et de souscription :	(142 932,38)
$(500\ 000)(0{,}20)(0{,}35)A_{\overline{5}\rvert 7,15\%}$	
Prime de rachat : (0,07) (10 000 000)	700 000,00
Intérêts après impôt sur la vieille émission pendant la période de chevauchement des deux émissions :	65 000,00
(10 000 000) (0,12) (1/12) (1 - 0,35)	
Moins : revenus de placement après impôt sur un mois du produit de la nouvelle émission :	(43 333,33)
(10 000 000) (0,08) (1/12) (1 - 0,35)	
Total	1 078 734,29 $

Calcul de la valeur actuelle des économies d'intérêt après impôt

Taux d'actualisation pertinent = 0,11 (1 – 0,35) = 7,15%

$\text{Valeur actuelle des économies d'intérêt après impôt} = (0{,}12 - 0{,}11)(10\ 000\ 000)(1 - 0{,}35)A_{\overline{20}\rvert 7,15\%} = 680\ 655{,}30\ \$$

La VAN du refinancement se calcule ainsi :

VAN = 680 655,30 – 1 078 734,29 = –398 078,99 $

Par conséquent, la compagnie ne devrait pas se refinancer.

b) Le refinancement devient marginalement intéressant si :

$$500\ 000 - (500\ 000)(0{,}20)(0{,}35)A_{\overline{5}\rvert r(1-0,35)} + 700\ 000 + 65\ 000 - 43\ 333{,}33$$
$$= (0{,}12 - r)(10\ 000\ 000)(1 - 0{,}35)A_{\overline{20}\rvert r(1-0,35)}$$
$$1\ 221\ 666{,}67 - 35\ 000A_{\overline{5}\rvert r(1-0,35)}$$
$$= (0{,}12 - r)(10\ 000\ 000)(1 - 0{,}35)A_{\overline{20}\rvert r(1-0,35)}$$

Par approximations successives, on trouve : r $\approx$ 10,46%.

11. a) **Calcul des coûts associés au refinancement**

Frais d'émission et de souscription	300 000,00 $
Moins : valeur actualisée des économies d'impôt liées aux frais d'émission et de souscription : $(300\ 000)(20\%)(0{,}45)A_{\overline{5}|9\%}$	(105 020,58)
Prime de rachat : (0,09) (2 000 000)	180 000,00
Dividende sur la vieille émission pendant la période de chevauchement des deux émissions : (2 000 000) (0,10) (3/12)	50 000,00
Moins : revenus de placement après impôt sur trois mois du produit de la nouvelle émission : (2 000 000) (0,08) (3/12) (1 - 0,45)	(22 000,00)
Total	402 979,42 $

Calcul de la valeur actuelle des économies de dividendes

$$\frac{(0{,}10 - 0{,}09)(2\ 000\ 000)}{0{,}09} = 222\ 222{,}22\ \$$$

La VAN du refinancement se calcule ainsi :

VAN = 222 222,22 - 402 979,42 = -180 757,20 $

Par conséquent, la compagnie ne devrait pas se refinancer.

b) Le refinancement devient marginalement intéressant si :

$$180\ 000 + 50\ 000 - 22\ 000 + \begin{pmatrix}\text{Frais d'émission}\\ \text{et de souscription}\end{pmatrix} - \begin{pmatrix}\text{Frais d'émission}\\ \text{et de souscription}\end{pmatrix}(20\%)(0{,}45)A_{\overline{5}|9\%}$$

$$= 222\ 222{,}22\ \$$$

d'où : Frais d'émission et de souscription = 21 882,65 $

12. a) Pour déterminer le mode de financement le plus avantageux, il s'agit de calculer le coût relatif à la location (CRL) et le coût relatif à l'achat (CRA) et de retenir l'alternative ayant la plus faible valeur.

Calcul du CRL

Le taux d'actualisation pertinent est : 0,12 (1 - 0,40) = 0,072

d'où :

CRL = VA [des loyers] · (1 - T)

$$CRL = 23\ 000\,A_{\overline{4}|0{,}072} \cdot (1 - 0{,}40) = 46\ 533{,}24\ \$$$

Calcul du CRA

$$CRA = \text{Montant du prêt} - \frac{CdT(1+0{,}50k_d)}{(k_d + d)(1 + k_d)}$$

$$CRA = 70\ 000 - \frac{(70\ 000)(0{,}30)(0{,}40)[1 + (0{,}50)(0{,}072)]}{(0{,}072 + 0{,}30)(1 + 0{,}072)}$$

$$CRA = 48\ 177{,}66\ \$$$

Puisque CRL < CRA, la location est préférable à l'achat.

b) **Calcul du CRL**

$$CRL = VA[\text{des loyers}] - VA\begin{bmatrix}\text{des économies d'impôt} \\ \text{liées aux loyers}\end{bmatrix}$$

$$CRL = 23\ 000\ \ddot{A}_{\overline{4}|0,072} - (23\ 000)(0,40)A_{\overline{4}|0,072}$$

$$CRL = 52\ 117,23\ \$$$

Calcul du CRA

Le CRA ne change pas (CRA = 48 117,66 $)

Puisque CRL > CRA, l'achat est préférable à la location.

c) **Calcul du CRL**

Le CRL est le même que le résultat obtenu en (a), soit 46 533,24 $.

Calcul du CRA

$$CRA = \text{Montant du prêt} - \frac{CdT(1+0,50k_d)}{(k_d+d)(1+k_d)} - \frac{PV}{(1+k_d)^n} + \frac{MIN[PV, C]dT}{(k_d+d)(1+k_d)}$$

$$CRA = 70\ 000 - \frac{(70\ 000)(0,30)(0,40)[1+(0,50)(0,072)]}{(0,072+0,30)(1+0,072)}$$

$$-\frac{5000}{(1+0,072)^4} + \frac{MIN[5000,\ 70\ 000](0,30)(0,40)}{(0,072+0,30)(1+0,072)^4}$$

$$CRL = 45\ 612,89\ \$$$

Puisque CRL > CRA, l'achat est préférable à la location.

13. a) **Prêt de 35 000 $**

$35\,000 = 61\,681,96\,(1+i)^{-5}$

d'où : $i = 12\%$

Prêt de 30 000 $

$30\ 000 = 8738,51 A_{\overline{5}|i}$

d'où : $i = 14\%$

b) Coût marginal de la dette après impôt $= k_d = 0,14\,(1 - 0,40) = 0,084$

c) Pour déterminer le mode de financement le plus avantageux, il s'agit de calculer le coût relatif à la location (CRL) et le coût relatif à l'achat (CRA) et de retenir l'alternative ayant la plus faible valeur.

Calcul du CRL

Le taux d'actualisation pertinent est de 8,4%.

CRL = VA [des loyers] - VA [des économies d'impôt liées aux loyers]

$$CRL = 19\ 000\ \ddot{A}_{\overline{5}|0,084} - (19\ 000)(0,40)A_{\overline{5}|0,084}$$

$$CRL = 51\ 346,79\ \$$$

Calcul du CRA

CRA = VA [du versement nécessaire pour rembourser l'emprunt de 35 000 $]
-VA [des économies d'impôt liées aux intérêts sur l'emprunt de 35 000 $]

30 000 $ (voir remarque plus bas) $\begin{cases} +\text{VA}\left[\text{des versements périodiques nécessaires pour rembourser l'emprunt de 30 000 \$}\right] \\ -\text{VA}\left[\text{des économies d'impôt liées aux intérêts sur l'emprunt de 30 000 \$}\right] \end{cases}$

$$-\frac{CdT(1+0{,}50k_d)}{(k_d+d)(1+k_d)}$$

$$-\frac{PV}{(1+k_d)^n}$$

$$+\frac{MIN[PV,\ C]dT}{(k_d+d)(1+k_d)^n}$$

$$CRA = \frac{61\ 681{,}96}{(1+0{,}084)^5} - \frac{(61\ 681{,}96-35\ 000)(0{,}40)}{(1+0{,}084)^5} + 30\ 000 - \frac{(65\ 000)(0{,}20)(0{,}40)[1+(0{,}50)(0{,}084)]}{(0{,}084+0{,}20)(1+0{,}084)} - \frac{4000}{(1+0{,}084)^5} + \frac{MIN[4000,\ 65\ 000](0{,}20)(0{,}40)}{(0{,}084+0{,}20)(1+0{,}084)^5}$$

CRA = 44 560,08 $

Puisque CRL > CRA, l'achat est préférable à la location.

Remarque. Dans le cas de l'emprunt de 30 000 $, le montant emprunté correspond à la différence entre la valeur actualisée des versements périodiques et la valeur actualisée des économies d'impôt liées aux intérêts puisque :

1. les versements sont uniformes et de fin de période;
2. cet emprunt est effectué à un taux de 14% et l'on utilise dans l'analyse comme taux d'actualisation le coût marginal de la dette après impôt, soit 14% (1 - 0,40) = 8,4%.

14. a) **Calcul du CRL**

Le taux d'actualisation pertinent est 15% (1 - 0,36) = 9,60%.

$$CRL = 9\,500\,\ddot{A}_{\overline{5}|9{,}60\%} - (9\,500)(0{,}36)A_{\overline{5}|9{,}60\%} = 26\ 778{,}27\ \$$$

Calcul du CRA

$$CRA = 35\ 000 - \frac{(35\ 000)(0{,}30)(0{,}36)\left(1+\frac{0{,}0960}{2}\right)}{(0{,}0960+0{,}30)(1+0{,}0960)} - \frac{5000}{(1+0{,}0960)^5} + \frac{(5\,000)(0{,}30)(0{,}36)}{(0{,}0960+0{,}30)(1+0{,}0960)^5} + (1000)(1-0{,}36)A_{\overline{5}|9{,}60\%} = 26\ 024{,}29\ \$$$

⇒ L'achat financé par un emprunt est légèrement plus avantageux.

b) Le CRL ne change pas.

$$\text{Nouveau CRA} = 35\ 000 - \frac{(35\ 000)(0,30)(0,36)\left(1+\frac{0,0960}{2}\right)}{(0,0960+0,30)(1+0,0960)} - \frac{5000}{(1+0,16)^5}$$

$$+\frac{(5000)(0,30)(0,36)}{(0,16+0,30)(1+0,16)^5} + (1000)(1-0,36)\,A_{\overline{5}|9,60\%} = 26\ 502,04\ \$$$

Le CRA augmente légèrement, mais la recommandation demeure la même.

c) Ils sont plus difficiles à prévoir (c.-à-d. plus risqués).

15. 1. b

2. $1080 = (40)(P)$
   d'où : $P = 27$ \$. Réponse : e

3. $$\begin{array}{c}\text{Taux de rendement} \\ \text{trimestriel équivalent}\end{array} = (1+0,12)^{1/4} - 1 = 2,87\%$$

   $$\text{Valeur standard} = \frac{2}{0,0287} = 69,69\ \$$$

   Réponse : b

4. Valeur intrinsèque initiale = 4 (P_0 – E)
   Nouvelle valeur intrinsèque = 4 (P_1 - E)

   $$\begin{array}{c}\text{Variation (en pourcentage)} \\ \text{de la valeur intrinsèque}\end{array} = \frac{4(P_1 - E) - 4(P_0 - E)}{4(P_0 - E)}$$

   $$= \frac{P_1 - E - P_0 + E}{P_0 - E}$$

   $$= \frac{P_1 - P_0}{P_0 - E}$$

   Réponse : b

Chapitre 11

Le coût du capital

1. $200\ 000 = 4882\,A_{\overline{48}|i}$

À l'aide de la calculatrice financière, on obtient :

$i = 0{,}6661\%$ d'où : $r = (1 + 0{,}006661)^{12} - 1 = 8{,}29\%$

et

$k_d = 0{,}0829\ (1 - 0{,}38) = 5{,}14\%$

2. a) $PN_d = 1000 - 30\ (1 - 0{,}40) = 982\ \$$

$982 = 80(1-0{,}40)\,A_{\overline{5}|i} + 1000(1+i)^{-5}$

À l'aide de la calculatrice financière, on trouve :

$i = 5{,}22\%$

Étant donné que les intérêts sont versés annuellement, $k_d = i = 5{,}22\%$.

b) Il s'agit de trouver la valeur de i qui permet de satisfaire l'égalité suivante :

$$1000 - 30 + (0{,}20)(30)(0{,}40)\,A_{\overline{5}|i} = 80(1-0{,}40)\,A_{\overline{5}|i} + 1000(1+i)^{-5}$$

$$970 = 80(1-0{,}40)A_{\overline{5}|i} - (0{,}20)(30)(0{,}40)\,A_{\overline{5}|i} + 1000(1+i)^{-5}$$

$$970 = 48\,A_{\overline{5}|i} - 2{,}40\,A_{\overline{5}|i} + 1000(1+i)^{-5}$$

$$970 = 45{,}60\,A_{\overline{5}|i} + 1000(1+i)^{-5}$$

À l'aide de la calculatrice financière, on obtient : $i = 5{,}26\%$.

Étant donné que les intérêts sont versés annuellement, $k_d = i = 5.26\%$.

c) Le calcul effectué en (a) suppose que l'on peut bénéficier de l'économie d'impôt liée aux frais d'émission et de souscription immédiatement alors que le calcul effectué en (b) tient compte du fait que les économies d'impôt liées aux frais d'émission et de souscription sont réparties sur une période de cinq ans. Compte tenu de la valeur temporelle de l'argent, l'hypothèse posée en (a) est plus avantageuse pour l'entreprise.

3. a) $PN_d = 976 + (24)\ (0{,}40) = 985{,}60\ \$$

$985{,}60 = 40(1-0{,}40)\,A_{\overline{20}|i} + 1000(1+i)^{-20}$

À l'aide de la calculatrice financière, on trouve :

$i = 2{,}49\%$ d'où : $k_d = (1 + 0{,}0249)^2 - 1 = 5{,}04\%$

b) $976 = 40(1-0{,}40)A_{\overline{20}|i} + 1000(1+i)^{-20} - (24)(0{,}40)(1+i)^{-20}$

$976 = 24A_{\overline{20}|i} + [1000-(24)(0{,}40)](1+i)^{-20}$

À l'aide de la calculatrice financière, on obtient :
$i = 2{,}52\%$ d'où : $k_d = (1+0{,}0252)^2 - 1 = 5{,}10\%$

c) Le calcul effectué en (a) suppose que l'on peut bénéficier de l'économie d'impôt liée à l'escompte immédiatement alors que le calcul effectué en (b) tient compte du fait que l'économie d'impôt liée à l'escompte sera disponible dans 10 ans. Compte tenu de la valeur temporelle de l'argent, l'hypothèse posée en (a) est plus avantageuse pour l'entreprise.

4. a) $k_e = \dfrac{1{,}70(1+0{,}08)}{40-2{,}50(1-0{,}40)} + 0{,}08 = 12{,}77\%$

b) $40 - 2{,}50 + (0{,}20)(2{,}50)(0{,}40)A_{\overline{5}|k_e} = \dfrac{1{,}70(1+0{,}08)}{k_e - 0{,}08}$

$37{,}50 + 0{,}20A_{\overline{5}|k_e} = \dfrac{1{,}70(1+0{,}08)}{k_e - 0{,}08}$

Par approximations successives, on trouve :
$k_e \approx 12{,}805\%$

5. Pour analyser les projets A, D et E, on peut utiliser le coût moyen pondéré du capital car ils comportent un niveau de risque équivalent aux opérations normales de l'entreprise. Les projets D et E devraient être acceptés (VAN > 0) alors que le projet A devrait être refusé.

En ce qui a trait au projet B, l'information est insuffisante pour en arriver à une décision. Compte tenu de son risque, les flux monétaires de ce projet devraient être actualisés à un taux supérieur à 12%. En utilisant un taux d'actualisation approprié compte tenu du risque (c.-à-d. un taux supérieur à 12%), la VAN pourrait être négative et, par conséquent, le projet devenir inacceptable.

L'information est également insuffisante pour prendre une décision relativement au projet C. Compte tenu que ce projet est moins risqué que les opérations normales de l'entreprise, ses flux monétaires devraient être actualisés à un taux inférieur à 12%. En utilisant un taux approprié compte tenu du risque (c.-à-d. un taux inférieur à 12%), la VAN pourrait être positive et, par conséquent, le projet devenir acceptable.

6. a) **Coût des obligations (k_d)**

Le taux de rendement semestriel actuellement exigé par le marché sur les obligations de l'entreprise échéant dans 10 ans se calcule ainsi :

$1020 = 50A_{\overline{20}|i} + 1000(1+i)^{-20}$

d'où : $i = 4{,}84\%$

L'entreprise pourrait vendre de nouvelles obligations à leur valeur nominale en autant que le taux de coupon offert s'élève à 4,84% par semestre. Le coût d'une nouvelle émission d'obligations se calcule en résolvant l'équation suivante :

$1000 - (0{,}03)(1000)(1-0{,}45^*) = 48{,}40(1-0{,}45)A_{\overline{20}|i} + 1000(1+i)^{-20}$

$983{,}50 = 26{,}62A_{\overline{20}|i} + 1000(1+i)^{-20}$

d'où : $i = 2{,}77\%$
et $k_d = (1+0{,}0277)^2 - 1 = 5{,}62\%$

*** Calcul du taux d'impôt :**

$$T = \frac{\text{Impôt}}{\text{Bénéfice avant impôt}} = \frac{300\,000 - 165\,000}{300\,000} = 45\%$$

Coût des actions privilégiées (k_p)

$$k_p = \frac{2{,}90}{26 - 1{,}50(1 - 0{,}45)} = 11{,}52\%$$

Coût d'une nouvelle émission d'actions ordinaires (k_e)

Selon le modèle de Gordon, on a :

$$k_e = \frac{D_1}{P - F(1 - T)} + g$$

Calcul de g

$(3)(3)(0{,}85) = 2{,}80\,(1 + g)^{10}$

$7{,}65 = 2{,}80\,(1 + g)^{10}$

d'où : $g = 10{,}57\%$

$$\text{et } k_e = \frac{0{,}85(1 + 0{,}1057)}{16{,}25 - 1(1 - 0{,}45)} + 0{,}1057 = 16{,}56\%$$

Calcul des pondérations

$$w_d = \frac{1\,000\,000}{2\,800\,000} = \frac{10}{28}$$

$$w_p = \frac{200\,000}{2\,800\,000} = \frac{2}{28}$$

$$w_0 = \frac{1\,600\,000}{2\,800\,000} = \frac{16}{28}$$

Calcul du coût du capital (ρ)

$\rho = w_d k_d + w_p k_p + w_0 k_0$ (Note : $k_0 = k_e$, puisque la compagnie devra émettre de nouvelles actions)

$\rho = (10/28)(0{,}0562) + (2/28)(0{,}1152) + (16/28)(0{,}1656) = 12{,}29\%$

b) Pour prendre une décision, il s'agit de calculer la VAN du projet.

Calcul de la valeur actuelle après impôt des économies sur les frais et les chauffeurs

$$R_1 - D_1 = \underbrace{(4)(2300) - (3)(1000)}_{\text{Économies sur les frais}} + \underbrace{(4 - 3) - (20\,000)}_{\text{Économies sur les chauffeurs}}$$

$R_1 - D_1 = 26\,200$ \$

$R_2 - D_2 = 26\,200\,(1 + 0{,}05) = 27\,510$ \$

$R_3 - D_3 = 27\,510\,(1 + 0{,}05) = 28\,885{,}50$ \$

d'où :

$$\sum_{t=1}^{3} (R_t - D_t)(1 - T)(1 + \rho)^{-t} = \frac{26\,200(1 - 0{,}45)}{(1 + 0{,}1229)} + \frac{27\,510(1 - 0{,}45)}{(1 + 0{,}1229)^2} + \frac{28\,885{,}50(1 - 0{,}45)}{(1 + 0{,}1229)^3}$$

$= 36\,053{,}25$ \$

Calcul de l'investissement initial

$(3)(35\,000) - (4)(1500) = 99\,000$ \$

Calcul de la valeur actualisée des économies d'impôt liées à l'amortissement fiscal

$$VAEI = \frac{CdT[1+(0,50)(\rho)]}{(\rho+d)(1+\rho)} - \frac{(SSC)dT}{(\rho+d)(1+\rho)^n}$$

$$VAEI = \frac{[(3)(35\,000)-(4)(1500)](0,30)(0,45)[1+(0,50)(0,1229)]}{(0,1229+0,30)(1+0,1229)}$$
$$-\frac{[(3)(5000)-(4)(400)](0,30)(0,45)}{(0,1229+0,30)(1+0,1229)^3}$$

$$VAEI = 26\,852,56\ \$$$

Calcul de la valeur de revente actualisée

$$\frac{(3)(5000)-(4)(400)}{(1+0,1229)^3} = 9\,464,15\ \$$$

d'où : VAN = 36 053,25 + 26 852,56 + 9 464,15 - 99 000 = -26 630,04 $

Puisque la VAN est négative, la compagnie ne devrait pas remplacer ses vieux camions.

7. a) **Coût des obligations (k_d)**

Le taux de rendement semestriel actuellement exigé par le marché sur les obligations de l'entreprise échéant dans 15 ans se calcule ainsi :

$$980 = 45A_{\overline{30}|i} + 1000(1+i)^{-30}$$

d'où : i = 4,62%

L'entreprise pourrait vendre de nouvelles obligations à leur valeur nominale en autant que le taux de coupon semestriel s'élève à 4,62%. Le coût d'une nouvelle émission d'obligations se calcule en résolvant l'équation suivante :

$$1000 - 20(1-0,45) = 46,20(1-0,45)A_{\overline{30}|i} + 1000(1+i)^{-30}$$

$$989 = 25,41A_{\overline{30}|i} + 1000(1+i)^{-30}$$

d'où : i = 2,59%

et $k_d = (1 + 0,0259)^2 - 1 = 5,25\%$

Coût des actions privilégiées (k_p)

$$k_p = \frac{6}{55(1-0,04)} = 11,36\%$$

Coût d'une nouvelle émission d'actions ordinaires (k_e)

Selon le CAPM, on a :

$$k_e = \frac{r + [\overline{R}_M - \overline{r}]\beta_{Alp.}}{1-f}$$

Estimation des paramètres

r = taux de rendement actuel des bons du Trésor = 6,50%

$\overline{r}$ = taux de rendement moyen des bons du Trésor au cours des dernières années

$\overline{r} = [0,08 + 0,08 + 0,12 + 0,07 + 0,06]/5 = 8,20\%$

$\overline{R}_M$ = taux de rendement moyen du marché au cours des dernières années

$\overline{R}_M = [0,12 + 0,14 + 0,10 + 0,16 + 0,08]/5 = 12\%$

$$\beta_{Alp.} = \frac{Cov(R_{Alp.}, R_M)}{\sigma^2(R_M)}$$

$$Cov(R_{Alp.}, R_M) = \sum_{t=1}^{5} \frac{(R_{Alp.,t} - \overline{R}_{Alp.})(R_{Mt} - \overline{R}_M)}{4}$$

$$R_{Alp.} = [0{,}20 + 0{,}10 + 0{,}15 + 0{,}25 + 0{,}05]/5 = 15\%$$

$$Cov(R_{Alp.}, R_M) = [(0{,}12 - 0{,}12)(0{,}20 - 0{,}15) + (0{,}14 - 0{,}12)(0{,}10 - 0{,}15) + (0{,}10 - 0{,}12)(0{,}15 - 0{,}15) + (0{,}16 - 0{,}12)(0{,}25 - 0{,}15) + (0{,}08 - 0{,}12)(0{,}05 - 0{,}15) / 4 = 0{,}00175$$

$$\sigma^2(R_M) = \frac{\sum_{t=1}^{5}(R_{Mt} - \overline{R}_M)^2}{4}$$

$$\sigma^2(R_M) = [0{,}12 - 0{,}12)^2 + (0{,}14 - 0{,}12)^2 + (0{,}10 - 0{,}12)^2 + (0{,}16 - 0{,}12)^2 + (0{,}08 - 0{,}12)^2]/4 = 0{,}001$$

d'où : $\beta_{Alp.} = \frac{0{,}00175}{0{,}001} = 1{,}75$

et $k_e = \frac{0{,}0650 + [0{,}12 - 0{,}0820](1{,}75)}{(1 - 0{,}05)} = 13{,}84\%$

Calcul des pondérations

$$w_d = \frac{150\ 000}{770\ 000} = 15/77$$

$$w_p = \frac{120\ 000}{770\ 000} = 12/77$$

$$w_0 = \frac{500\ 000}{770\ 000} = 50/77$$

Calcul du coût du capital (ρ)

$\rho = w_d k_d + w_p k_p + w_0 k_0$ (note : $k_0 = k_e$ puisque la compagnie devra émettre de nouvelles actions)

$\rho = (15/77)(0{,}0525) + (12/77)(0{,}1136) + (50/77)(0{,}1384) = 11{,}78\%$

b) La politique de la compagnie est inappropriée. Le coût moyen pondéré du capital ne doit être utilisé que pour évaluer la rentabilité des projets d'investissement qui comportent un risque d'exploitation semblable à ses activités habituelles. Pour évaluer la rentabilité des projets d'investissements plus risqués que les activités normales de l'entreprise, on doit utiliser un taux d'actualisation supérieur au coût moyen pondéré du capital. Inversement, dans le cas des projets d'investissement présentant un degré de risque inférieur aux activités habituelles de l'entreprise, on doit utiliser dans l'analyse un taux d'actualisation moins élevé que le coût moyen pondéré du capital.

8. Coût des obligations (k_d)

$$980 - 30(1 - 0{,}40) + (20)(0{,}40) = 50(1 - 0{,}40)\, A_{\overline{20}|i} + 1000(1 + i)^{-20}$$

$$970 = 30\, A_{\overline{20}|i} + 1000(1 + i)^{-20}$$

À l'aide de la calculatrice financière, on trouve :
$i = 3{,}21\%$
d'où : $k_d = (1 + 0{,}0321)^2 - 1 = 6{,}52\%$

Coût des actions privilégiées (k_p)

$$k_p = \frac{3}{31 - 1{,}80(1 - 0{,}40)} = 10{,}03\%$$

Coût des bénéfices non répartis (k_b)

$$k_b = \frac{D_1}{P} + g$$

Calcul de g

$(5)\ (1{,}80) = 3(1 + g_{hist.})^{10}$
d'où : $g_{historique} = 11{,}61\%$
et $g_{anticipé} = 11{,}61\% - 3\% = 8{,}61\%$

$$k_b = \frac{1{,}80(1 + 0{,}0861)}{18} + 0{,}0861 = 19{,}47\%$$

Calcul des pondérations

$$w_d = \frac{900\ 000}{2\ 300\ 000} = 9/23$$

$$w_p = \frac{300\ 000}{2\ 300\ 000} = 3/23$$

$$w_0 = \frac{1\ 100\ 000}{2\ 300\ 000} = 11/23$$

Calcul du coût du capital (ρ)

$\rho = w_d k_d + w_p k_p + w_0 k_0$ (note: $k_0 = k_b$ puisque la compagnie n'a pas besoin d'émettre de nouvelles actions ordinaires)
$\rho = (9/23)(0{,}0652) + (3/23)(0{,}1003) + (11/23)(0{,}1947) = 13{,}17\%$

Pour déterminer si l'investissement envisagé est rentable, il s'agit de calculer la VAN.

Calcul de la VAN

$$VAN = \sum_{t=1}^{10} (R_t - D_t)(1 - T)(1+\rho)^{-t} + \frac{\begin{pmatrix}\text{Coût des} & & \text{Valeur de revente} \\ \text{nouveaux} & - & \text{des véhicules} \\ \text{véhicules} & & \text{actuels}\end{pmatrix} \cdot d \cdot T(1 + 0{,}50\rho)}{(\rho + d)\cdot(1+\rho)}$$

$$- \begin{pmatrix}\text{Coût des} & & \text{Valeur de revente} \\ \text{nouveaux} & - & \text{à } t = 0 \\ \text{véhicules} & & \text{des véhicules actuels}\end{pmatrix}$$

$$+ \frac{PV\begin{pmatrix}\text{des nouveaux} \\ \text{véhicules dans 10 ans}\end{pmatrix} - PV\begin{pmatrix}\text{des véhicules actuels} \\ \text{dans 10 ans}\end{pmatrix}}{(1+\rho)^{10}}$$

$$- \frac{\begin{pmatrix}\text{Valeur de revente des} & - & \text{Valeur de revente des} \\ \text{nouveaux véhicules dans 10 ans} & & \text{véhicules actuels dans 10 ans}\end{pmatrix} \cdot d \cdot T}{(\rho + d)(1+\rho)^{10}}$$

$$VAN = 100\ 000(1-0,40)A_{\overline{5}|13,17\%} + 140\ 000(1-0,40)A_{\overline{2}|13,17\%}(1+0,1317)^{-5}$$

$$+ 220\ 000(1-0,40)A_{\overline{3}|13,17\%}(1+0,1317)^{-7}$$

$$+ \frac{(480\ 000-80\ 000)(0,30)(0,40)\left[1+\frac{0,1317}{2}\right]}{(0,1317+0,30)\cdot(1+0,1317)} - (480\ 000-80\ 000)$$

$$+ \frac{50\ 000-20\ 000}{(1+0,1317)^{10}} - \frac{(50\ 000-20\ 000)(0,30)(0,40)}{(0,1317+0,30)(1+0,1317)^{10}} = 127\ 197,04\ \$$$

Le projet devrait donc être accepté.

9. Coût des obligations (k_d)

Le taux de rendement semestriel actuellement exigé par le marché sur les obligations de l'entreprise échéant dans 12 ans se calcule ainsi :

$$1030 = 50A_{\overline{24}|i} + 1000(1+i)^{-24}$$

d'où : $i = 4,79\%$

La compagnie pourrait vendre de nouvelles obligations au pair en autant que le taux de coupon semestriel s'élève à 4,79%. Le coût d'une nouvelle émission d'obligations se calcule en résolvant l'équation suivante :

$$1000-(0,02)(1000) = 47,90(1-0,40)A_{\overline{24}|i} + 1000(1+i)^{-24}$$

$$980 = 28,74A_{\overline{24}|i} + 1000(1+i)^{-24}$$

d'où : $i = 2,99\%$

et $k_d = (1+0,0299)^2 - 1 = 6,07\%$

Coût des actions privilégiées (k_p)

$$k_p = \frac{7}{62(1-0,03)} = 11,64\%$$

Coût d'une nouvelle émission d'actions ordinaires (k_e)

Selon le modèle de Gordon :

$$k_e = \frac{D_1}{P(1-f)} + g = \frac{5(1+0,07)}{52(1-0,04)} + 0,07 = 17,72\%$$

Selon le CAPM :

$$k_e = \frac{r + [\overline{R}_M - \overline{r}]\cdot\beta_{BGI}}{1-f}$$

$$\beta_{BGI} = \frac{\rho(R_{BGI}, R_M)\sigma(R_{BGI})}{\sigma(R_M)}$$

$$\beta_{BGI} = \frac{(0,75)\sqrt{(0,41)}}{\sqrt{0,04}} = 2,40$$

d'où : $$k_e = \frac{0,065+(0,12-0,075)(2,40)}{(1-0,04)} = 18,02\%$$

Calcul des pondérations

	Nombre	×	Valeur au marché	
Obligations	6 000	×	1030	= 6 180 000 $
Actions privilégiées	40 000	×	62	= 2 480 000
Actions ordinaires	320 000	×	52	= 16 640 000
			Total	25 300 000 $

d'où :

$$w_d = \frac{6\ 180\ 000}{25\ 300\ 000} = 24{,}43\%$$

$$w_p = \frac{2\ 480\ 000}{25\ 300\ 000} = 9{,}80\%$$

$$w_0 = \frac{16\ 640\ 000}{25\ 300\ 000} = 65{,}77\%$$

Calcul du coût du capital (ρ)

1) Si k_e est estimé à l'aide du modèle de Gordon :

$$\rho = (0{,}2443)(0{,}0607) + (0{,}0980)(0{,}1164) + (0{,}6577)(0{,}1772) = 14{,}28\%$$

2) Si k_e est estimé à l'aide du CAPM :

$$\rho = (0{,}2443)(0{,}0607) + (0{,}0980)(0{,}1164) + (0{,}6577)(0{,}1802) = 14{,}47\%$$

10. a) **Calcul des pondérations**

	Nombre	×	Valeur au marché	
Obligations	40 000	×	1000	= 40 000 000 $
Actions privilégiées				
Série A	100 000	×	86	= 8 600 000
Série B	100 000	×	75,75	= 7 575 000
Actions ordinaires	3 000 000	×	20	= 60 000 000
			Total	116 175 000 $

d'où :

$$w_d = \frac{40\ 000\ 000}{116\ 175\ 000} = 34{,}43\%$$

$$w_p = \frac{16\ 175\ 000}{116\ 175\ 000} = 13{,}92\%$$

$$w_0 = \frac{60\ 000\ 000}{116\ 175\ 000} = 51{,}65\%$$

Il faut maintenant déterminer si les BNR de l'année 1 suffiront à combler les besoins de financement en capitaux propres en supposant que les fonds requis s'élèvent à 2 000 000 $.

Bénéfices de l'année 1 disponibles pour fins de réinvestissement $= (1{,}35)(1{,}10)(3\ 000\ 000)(1 - 0{,}40) = 2\ 673\ 000$ $

Le montant maximal que peut investir la compagnie, compte tenu de sa structure de capital, sans avoir à émettre de nouvelles actions ordinaires s'élève donc à :

$\frac{2\ 673\ 000}{0{,}5165} = 5\ 175\ 218$ $. Par conséquent, si les fonds requis s'élèvent à 2 000 000 $, on utilise k_b dans le calcul du coût du capital.

Coût des obligations (k_d)

$$1\ 000 = 50(1-0,40)A_{\overline{20}|i} + 1\ 000(1+i)^{-20}$$

d'où : $i = 3\%$ et $k_d = (1 + 0,03)^2 - 1 = 6,09\%$

Coût des actions privilégiées (k_p)

$$k_p = \frac{D_p}{P(1-f)}$$

$$k_p(\text{Série A}) = \frac{8}{86(1-0,03)} = 9,59\%$$

$$k_p(\text{Série B}) = \frac{7}{75,75(1-0,03)} = 9,53\%$$

$$\text{d'où : } k_p = \frac{0,0959+0,0953}{2} = 0,0956$$

Coût des bénéfices non répartis (k_b)

$$k_b = \frac{D_1}{P_0} + g$$

$$k_b = \frac{0,54(1+0,10)}{20} + 0,10 = 12,97\%$$

Coût du capital (ρ)

$$\rho = (0,3443)(0,0609) + (0,1392)(0,0956) + (0,5165)(0,1297) = 10,13\%$$

b) Si les fonds requis s'élèvent à 10 000 000 $, la compagnie devra émettre de nouvelles actions ordinaires et on utilise alors k_e dans le calcul du coût du capital.

$$k_e = \frac{0,54(1+0,10)}{18} + 0,10 = 13,30\%$$

Coût du capital (ρ)

$$\rho = (0,3443)\ (0,0609) + (0,1392)\ (0,0956) + (0,5165)\ (0,1330) = 10,30\%$$

11. a) Valeur d'une obligation $= 100 A_{\overline{10}|12\%} + 1\ 000(1+0,12)^{-10} = 887$ $

d'où : Valeur marchande totale des obligations = (5 000) (887) = 4 435 000 $

Valeur marchande totale des actions = (800 000) (9) = 7 200 000 $

$$\text{Part du financement par dette} = w_d = \frac{4\ 435\ 000}{4\ 435\ 000 + 7\ 200\ 000} = 38,1\%$$

$$\text{Part du financement par capital-actions ordinaire} = \frac{7\ 200\ 000}{4\ 435\ 000 + 7\ 200\ 000} = 61,9\%$$

b) $k_d = 0,12\,(1 - 0,40) = 7,2\%$

c) $$k_e = \frac{0,50(1+0,08^*)}{9(1-0,06)} + 0,08 = 14,38\%$$

$$g_{\text{"exante"}} = \text{Taux d'inflation prévu} + 5\% = 3\% + 5\% = 8\%$$

d) $k_e = \dfrac{0{,}065 + (0{,}12 - 0{,}075)(1{,}80)}{1 - 0{,}06} = 15{,}53\%$

e) 1) $\rho = (0{,}381)(0{,}072) + (0{,}619)(0{,}1438) = 11{,}64\%$
   2) $\rho = (0{,}381)\ (0{,}072) + (0{,}619)\ (0{,}1553) = 12{,}36\%$

12. **Tableau d'amortissement du prêt**

Années	Solde en début d'année	Versement périodique*	Intérêts	Remboursement de capital
1	800 000,00 $	211 037,98 $	80 000,00 $	131 037,98 $
2	668 962,02	211 037,98	66 896,20	144 141,78
3	524 820,24	211 037,98	52 482,02	158 555,96
4	366 264,28	211 037,98	36 626,43	174 411,55
5	191 852,73	211 037,98	19 185,27	191 852,71

* $800\ 000 = R A_{\overline{5}|10\%}$ d'où : $R = 211\ 037{,}98$ $

Calcul des recettes nettes avant impôt et amortissement

$A_1 = (800\ 000)(20\%)(0{,}50) = 80\ 000$ $

$A_2 = (720\ 000)(20\%) = 144\ 000$ $

$A_3 = (576\ 000)(20\%) = 115\ 200$ $

$A_4 = (460\ 800)(20\%) = 92\ 160$ $

$A_5 = (368\ 640)(20\%) = 73\ 728$ $

Année 1

$$200\ 000 = (R_1 - D_1)(1 - 0{,}36) + \underbrace{(80\ 000)(0{,}36)}_{\text{Écon. d'impôt liée à l'ACC}} - \underbrace{131\ 037{,}98}_{\text{Remb. de capital de l'année 1}} - \underbrace{80\ 000(1 - 0{,}36)}_{\text{Int. après impôt de l'année 1}}$$

d'où : $R_1 - D_1 = 552\ 246{,}84$ $

Année 2

$200\ 000 = (R_2 - D_2)(1 - 0{,}36) + (144\ 000)(0{,}36) - 144\ 141{,}78 - 66\ 896{,}20\ (1 - 0{,}36)$

d'où : $R_2 - D_2 = 523\ 617{,}73$ $

Année 3

$200\ 000 = (R_3 - D_3)(1 - 0{,}36) + (115\ 200)(0{,}36) - 158\ 555{,}96 - 52\ 482{,}02\ (1 - 0{,}36)$

d'où : $R_3 - D_3 = 547\ 925{,}71$ $

Année 4

$200\ 000 = (R_4 - D_4)(1 - 0{,}36) + (92\ 160)(0{,}36) - 174\ 411{,}55 - 36\ 626{,}43\ (1 - 0{,}36)$

d'où : $R_4 - D_4 = 569\ 804{,}48$ $

Année 5

$200\ 000 = (R_5 - D_5)(1 - 0{,}36) + (73\ 728)(0{,}36) - 191\ 852{,}71 - 19\ 185{,}27\ (1 - 0{,}36)$

d'où : $R_5 - D_5 = 589\ 983{,}13$ $

Calcul de la VAN

$$VAN = -800\,000 + \frac{(800\,000)(0,20)(0,36)\left(1+\frac{0,14}{2}\right)}{(0,14+0,20)(1+0,14)}$$

$$+\frac{552\,246,84(1-0,36)}{(1+0,14)^1}+\frac{523\,617,73(1-0,36)}{(1+0,14)^2}+\frac{547\,925,71(1-0,36)}{(1+0,14)^3}$$

$$+\frac{569\,804,48(1-0,36)}{(1+0,14)^4}+\frac{589\,983,13(1-0,36)}{(1+0,14)^5}$$

$$= 575\,621,69\ \$ \Rightarrow \text{Oui, car VAN} > 0.$$

13. a) Valeur intrinsèque de l'action au début de l'année 1 $= \frac{D_0(1+g)}{k-g}$

Ici, on a : $D_0 = 0{,}32\$$

$g = 8\%$

$$k = 0,0650 + (0,12-0,075)\left(\frac{0,0386}{0,0343}\right) = 11,56\%$$

$$V = \frac{0,32(1+0,08)}{0,1156-0,08} = 9,71\ \$$$

Le titre est sous-évalué car sa valeur marchande (8,50 \$) est inférieure à sa valeur intrinsèque (9,71 \$).

b) **Calcul du prix d'une obligation de série B**

Série A

$$980 = 50A_{\overline{20}|i} + 1000(1+i)^{-20}$$

d'où : $i = 5{,}16\%$ et $r = (1 + 0{,}0516)^2 - 1 = 10{,}59\%$

Série B

$$P_B = 110A_{\overline{20}|11,59\%} + 1000(1+i)^{-20}$$

$$P_B = 954,77\ \$$$

Calcul des pondérations

Obligations, série A : (10 000) (980) =	9 800 000 \$
Obligations, série B : (12 000) (954,77) =	11 457 240
Actions privilégiées : (550 000) (28) =	15 400 000
Actions ordinaires : $\left(\frac{15\,000\,000 + 7\,700\,000}{2,27}\right)(8,50) =$	85 000 000
Total =	121 657 240 \$

d'où : $w_d = \frac{9\,800\,000 + 11\,457\,240}{121\,657\,240} = 17{,}47\%$

$$w_p = \frac{15\,400\,000}{121\,657\,240} = 12,66\%$$

$$w_0 = \frac{85\,000\,000}{121\,657\,240} = 69,87\%$$

c) i) Le taux de rendement semestriel actuellement exigé par le marché sur les obligations de l'entreprise échéant dans 10 ans s'élève à 5,16%. L'entreprise pourrait donc vendre de nouvelles obligations à leur valeur nominale en autant que le taux de coupon offert s'élève à 5,16% par semestre. Le coût d'une nouvelle émission d'obligations se calcule ainsi :

$$1000-(0{,}025)(1000)(1-0{,}40)=51{,}60(1-0{,}40)A_{\overline{20}|i}+1000(1+i)^{-20}$$

$$985=30{,}96A_{\overline{20}|i}+1000(1+i)^{-20}$$

d'où : $i = 3{,}20\%$ et $k_d = (1 + 0{,}0320)^2 - 1 = 6{,}50\%$

ii) $$k_p=\frac{2{,}50}{26}=9{,}62\%$$

iii) $$k_e=\frac{0{,}0650+(0{,}12-0{,}075)\left(\frac{0{,}0386}{0{,}0343}\right)}{1-0{,}07}=12{,}43\%$$

iv) $$k_e=\frac{0{,}32(1+0{,}08)}{8{,}50(1-0{,}07)}+0{,}08=12{,}37\%$$

d) $$k_e=\frac{0{,}1243+0{,}1237}{2}=12{,}40\%$$

$$\rho=(0{,}1747)(0{,}0650)+(0{,}1266)(0{,}0962)+(0{,}6987)(0{,}1240)=11{,}02\%$$

e) BNR de l'année 1 $=(0{,}80)(1+0{,}08)(10\,000\,000)(1-0{,}40)=5\,184\,000$ $

d'où : $$\text{Augmentation maximale d'actifs sans avoir à émettre des actions ordinaires}=\frac{5\,184\,000}{0{,}6987}=7\,419\,493\ \$$$

f) 1. k_d (diminue) $\Rightarrow$ ρ (diminue)

2. k_d (augmente), k_p (augmente) et k_0 (augmente) $\Rightarrow$ ρ (augmente)

3. ρ (diminue), car $k_0 > k_d$
et w_0 (en val. compt.) $<$ w_0 (en val. marc.)
w_d (en val. compt.) $>$ w_d (en val. marc.)

4. k_d (augmente), k_p (augmente) et k_0 (augmente) $\Rightarrow$ ρ (augmente)

5. k_d (diminue), k_p (diminue) et k_0 (diminue) $\Rightarrow$ ρ (diminue)

14. a) $$\text{Premier point d'augmentation du coût du capital}=\frac{\text{Financement maximal par dette à un taux de 9\%}}{\text{Part de la dette dans le financement de l'entreprise}}=\frac{5\,000\,000}{0{,}40}=12\,500\,000\ \$$$

$$\text{Deuxième point d'augmentation du coût du capital}=\frac{\text{Bénéfices disponibles pour fins de réinvestissement}}{\text{Part des fonds propres dans le financement de l'entreprise}}=\frac{8\,000\,000}{0{,}60}=13\,333\,333\ \$$$

$$\rho\left(\begin{array}{c}\text{pour des besoins de financement}\\ \text{inférieurs ou égaux à 12 500 000 \$}\end{array}\right)=(0{,}40)(0{,}09)(1-0{,}36)+(0{,}60)(0{,}14)=10{,}70\%$$

$$\rho\begin{pmatrix}\text{pour des besoins de financement}\\ \text{supérieurs à 12 500 000 \$ mais inférieurs}\\ \text{ou égaux à 13 333 333 \$}\end{pmatrix} = (0,40)(0,11)(1-0,36)+(0,60)(0,14)=11,22\%$$

$$\rho\begin{pmatrix}\text{pour des besoins de financement}\\ \text{supérieurs à 13 333 333 \$}\end{pmatrix} = (0,40)(0,11)(1-0,36)+(0,60)(0,16)=12,87\%$$

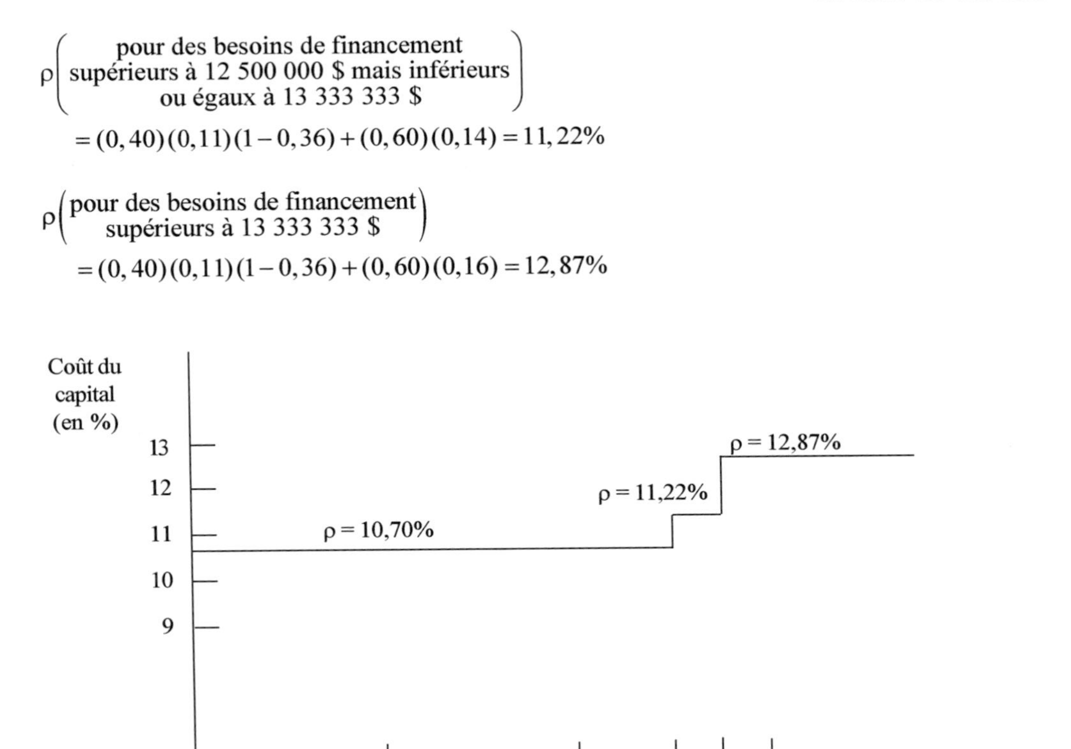

b) On devrait accepter les projets A, B, C, D et E. Le budget optimal des investissements est donc de 22 000 000 $.

15. a) **Division A**

$k_A = 0,08 + (0,15 - 0,08)(0,50) = 11,50\%$

$\rho_A = (0,50)(0,10)(1 - 0,40) + (0,50)(0,1150) = 8,75\%$

Division B

$k_B = 0,08 + (0,15 - 0,08)(0,80) = 13,60\%$

$\rho_B = (0,40)(0,10)(1 - 0,40) + (0,60)(0,1360) = 10,56\%$

Division C

$k_C = 0,08 + (0,15 - 0,08)(1,20) = 16,40\%$

$\rho_C = (0,30)(0,10)(1 - 0,40) + (0,70)(0,1640) = 13,28\%$

Division D

$k_D = 0,08 + (0,15 - 0,08)(1,50) = 18,50\%$

$\rho_D = (0,20)(0,10)(1 - 0,40) + (0,80)(0,1850) = 16\%$

16. $\beta_{U,\text{Amtex}} = \dfrac{1,50}{[1+(1-0,40)(0,90)]} = 0,974$

$\beta_{L,\text{div.élect.}} = 0,974[1+(1-0,35)(0,70)] = 1,42$

$k_{0,\text{div.élect.}} = 0,08+(0,10)(1,42) = 22,20\%$

Chapitre 12

La structure de capital

Série A

1. a) V b) V c) F d) F e) V f) V g) F h) V i) V
j) V k) F l) F m) V n) F o) V

2. a) **Financement par actions ordinaires**

Probab.	**0,10**	**0,20**	**0,35**	**0,20**	**0,15**
BAII	150 000 $	200 000 $	400 000 $	600 000 $	800 000 $
Impôt (40%)	60 000	80 000	160 000	240 000	320 000
Montant disponible pour les actionnaires ordinaires	90 000 $	120 000 $	240 000 $	360 000 $	480 000 $
Rend. sur l'avoir des actionnaires ordinaires	0,045	0,06	0,12	0,18	0,24

d'où : $E(R) = (0{,}10)\,(0{,}045) + (0{,}20)\,(0{,}06) + (0{,}35)\,(0{,}12) + (0{,}20)\,(0{,}18) + (0{,}15)\,(0{,}24) = 0{,}1305$

$\sigma^2(R) = (0{,}10)\,(0{,}045 - 0{,}1305)^2 + (0{,}20)\,(0{,}06 - 0{,}1305)^2 + (0{,}35)\,(0{,}12 - 0{,}1305)^2 + (0{,}20)(0{,}18 - 0{,}1305)^2 + (0{,}15)(0{,}24 - 0{,}1305)^2$

$\sigma^2(R) = 0{,}004052$

$\sigma(R) = 0{,}0637$

$CV = \sigma(R)/E(R) = 0{,}0637/0{,}1305 = 0{,}49$

Financement par dette et actions ordinaires

Probab.	**0,10**	**0,20**	**0,35**	**0,20**	**0,15**
BAII	150 000 $	200 000 $	400 000 $	600 000 $	800 000 $
Intérêt (1 000 000 × 12%)	120 000	120 000	120 000	120 000	120 000
	30 000 $	80 000 $	280 000 $	480 000 $	680 000 $
Impôt (40%) (crédit d'impôt)	12 000	32 000	112 000	192 000	272 000
Montant disponible pour les actionnaires ordinaires	18 000 $	48 000 $	168 000 $	288 000 $	408 000 $
Rend. sur l'avoir des actionnaires ordinaires	0,018	0,048	0,168	0,288	0,408

d'où : $E(R) = (0{,}10)(0{,}018) + (0{,}20)(0{,}048) + (0{,}35)(0{,}168) + (0{,}20)(0{,}288) + (0{,}15)(0{,}408) = 0{,}189$

$$\sigma^2(R) = (0{,}10)(0{,}018 - 0{,}189)^2 + (0{,}20)(0{,}048 - 0{,}189)^2 + (0{,}35)(0{,}168 - 0{,}189)^2 + (0{,}20)(0{,}288 - 0{,}189)^2 + (0{,}15)(0{,}408 - 0{,}189)^2$$

$\sigma^2(R) = 0{,}016209$

$\sigma(R) = 0{,}1273$

$CV = \sigma(R)/E(R) = 0{,}1273/0{,}189 = 0{,}67$

b) L'écart-type et le coefficient de variation sont plus élevés dans le cas où l'entreprise se finance en partie par dette. La deuxième formule de financement (financement par dette et actions ordinaires) est donc la plus risquée.

c) **Financement par actions privilégiées et actions ordinaires**

Probab.	**0,10**	**0,20**	**0,35**	**0,20**	**0,15**
BAII	150 000 $	200 000 $	400 000 $	600 000 $	800 000 $
Impôt (40%)	60 000	80 000	160 000	240 000	320 000
	90 000 $	120 000 $	240 000 $	360 000 $	480 000 $
Dividendes privilégiées (1 000 000 × 12%)	120 000	120 000	120 000	120 000	120 000
Montant disponi- pour les actionnaires ordinaires	0 $	0 $	120 000 $	240 000 $	360 000 $
Rend. sur l'avoir des actionnaires ordinaires	0	0	0,12	0,24	0,36

d'où : $E(R) = (0{,}10)(0) + (0{,}20)(0) + (0{,}35)(0{,}12) + (0{,}20)(0{,}24) + (0{,}15)(0{,}36) = 0{,}144$

$$\sigma^2(R) = (0{,}10)(0 - 0{,}144)^2 + (0{,}20)(0 - 0{,}144)^2 + (0{,}35)(0{,}12 - 0{,}144)^2 + (0{,}20)(0{,}24 - 0{,}144)^2 + (0{,}15)(0{,}36 - 0{,}144)^2$$

$\sigma^2(R) = 0{,}015264$

$\sigma(R) = 0{,}1235$

$CV = \sigma(R)/E(R) = 0{,}1235/0{,}144 = 0{,}86$

d) **Avantages**

1. Même si les résultats obtenus en (b) et en (c) indiquent que le coefficient de variation est plus élevé si l'entreprise émet des actions privilégiées au lieu d'emprunter, le financement par actions privilégiées est moins risqué que l'emprunt, puisque les dividendes privilégiés peuvent être différés ou même omis sans risquer la faillite, ce qui n'est pas le cas des intérêts.
2. Les actions privilégiées constituent des fonds propres, ce qui a pour effet d'augmenter la capacité d'emprunt de l'entreprise.

Désavantage

Les dividendes privilégiés ne sont pas déductibles d'impôt. Par conséquent, le rendement espéré des actionnaires ordinaires est moins élevé si l'entreprise émet des actions privilégiées plutôt que des obligations.

3. a) **Émission d'actions ordinaires**

$$\text{BPA} = \frac{(\text{BAII} - \text{Intérêts})(1-\text{T}) - \text{Dividendes privilégiés}}{\text{Nombre d'actions ordinaires en circulation}}$$

$$\text{BPA} = \frac{[2\,500\,000 - (3\,000\,000)(0,09)](1-0,40) - 0}{1\,000\,000 + \dfrac{5\,000\,000}{20}} = 1,07\ \$$$

Émission d'actions privilégiées

$$BPA = \frac{[2\,500\,000 - (3\,000\,000)(0,09)](1-0,40) - \left(\frac{5\,000\,000}{100}\right)(11)}{1\,000\,000} = 0,79\ \$$$

Émission d'obligations

$$BPA = \frac{[2\,500\,000 - (3\,000\,000)(0,09) - (5\,000\,000)(0,12)](1-0,40)}{1\,000\,000} = 0,98\ \$$$

b)

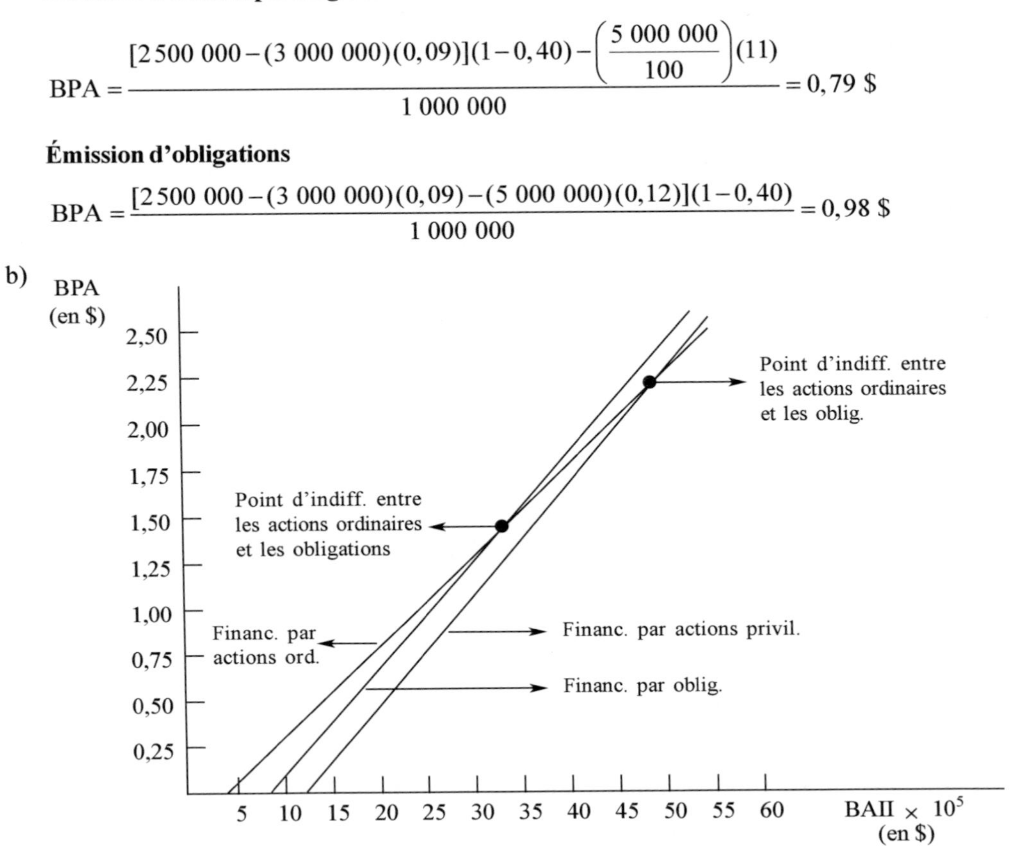

Calculs

Pour tracer chacune des droites, on doit, au minimum, connaître les coordonnées de deux points.

Émission d'actions ordinaires

D'après les résultats obtenus en (a), on a le point suivant: (2 500 000; 1,07).

Pour obtenir un autre point, on peut poser BPA = 0 dans l'équation suivante :

$$BPA = 0 = \frac{[BAII - (3\,000\,000)(0,09)](1-0,40) - 0}{1\,000\,000 + \dfrac{5\,000\,000}{20}}$$

d'où : BAII = 270 000 $

On a donc le point suivant : (270 000; 0)

Émission d'actions privilégiées

D'après les résultats obtenus en (a), on a le point suivant: (2 500 000; 0,79).

Pour obtenir un autre point, on peut poser BPA = 0 dans l'équation suivante :

$$BPA = 0 = \frac{[BAII - (3\,000\,000)(0,09)](1-0,40) - \left(\frac{5\,000\,000}{100}\right)(11)}{1\,000\,000}$$

d'où : BAII = 1 186 667 $

On a donc le point suivant : (1 186 667; 0)

Émission d'obligations

D'après les résultats obtenus en (a), on a le point suivant : (2 500 000; 0,98).

Pour obtenir un autre point, on peut poser BPA = 0 dans l'équation suivante :

$$\text{BPA} = 0 = \frac{[\text{BAII} - (3\ 000\ 000)(0{,}09) - (5\ 000\ 000)(0{,}12)](1-0{,}40) - 0}{1\ 000\ 000}$$

d'où : BAII = 870 000 $

On a donc le point suivant : (870 000; 0).

Point d'indifférence entre les actions ordinaires et les actions privilégiées

Il s'agit de trouver le niveau du BAII pour lequel on a :

BPA [Financ. par actions ordinaires] = BPA [Financ. par actions privilégiées]

$$\frac{[\text{BAII} - (3\ 000\ 000)(0{,}09)](1-0{,}40)}{1\ 000000 + \dfrac{5\ 000\ 000}{20}} = \frac{[\text{BAII} - (3\ 000\ 000)(0{,}09)](1-0{,}40) - \left(\dfrac{5\ 000\ 000}{100}\right)(11)}{1\ 000\ 000}$$

$$\left(\frac{1\ 000\ 000}{1\ 250\ 000}\right)(\text{BAII} - 270\ 000)(1-0{,}40) = (\text{BAII} - 270\ 000)(1-0{,}40) - 550\ 000$$

$$0{,}48\,\text{BAII} - (0{,}48)(270\,000) = 0{,}60\,\text{BAII} - (0{,}60)(270\,000) - 550\,000 - 0{,}12\,\text{BAII} = -582\,400$$

d'où : BAII = 4 853 333 $ et BPA = 2,20 $

Point d'indifférence entre les actions ordinaires et les obligations

Il s'agit de trouver le niveau du BAII pour lequel on a :

BPA [Financ. par actions ordinaires] = BPA [Financ. par obligations]

$$\frac{[\text{BAII} - (3\ 000\ 000)(0{,}09)](1-0{,}40)}{1\ 000000 + \dfrac{5\ 000\ 000}{20}} = \frac{[\text{BAII} - (3\ 000\ 000)(0{,}09) - (5\ 000\ 000)(0{,}12)](1-0{,}40)}{1\ 000\ 000}$$

$$\left(\frac{1\ 000\ 000}{1\ 250\ 000}\right)(\text{BAII} - 270\ 000)(1-0{,}40) = (\text{BAII} - 270\ 000 - 600\ 000)(1-0{,}40)$$

$$0{,}80\,\text{BAII} - (0{,}80)(270\,000) = \text{BAII} - 870\,000$$
$$-0{,}20\,\text{BAII} = -654\,000$$

d'où : BAII = 3 270 000 $ et BPA = 1,44 $

c) Si le BAII est de 1 500 000 $, la compagnie devrait se financer par actions ordinaires car ce mode de financement maximise le bénéfice par action (voir le graphique en b).
Si le le BAII est de 5 000 000 $, la compagnie devrait se financer par obligations car ce mode de financement maximise le bénéfice par action (voir le graphique en b).

4. a) **Émission d'actions ordinaires**

$$\text{BPA} = 0 = \frac{[\text{BAII} - (0{,}11)(1000)(5000)](1-0{,}35)}{800\ 000 + \dfrac{5\ 000\ 000}{25}}$$

d'où : [BAII - (0,11) (1000) (5000)] (1-0,35) = 0

BAII - 550 000 = 0

BAII = 550 000 $

Émission d'obligations et d'actions privilégiées

$$BPA = 0 = \frac{[BAII - (0{,}11)(1000)(5000) - (0{,}12)(2\ 000\ 000)](1 - 0{,}35) - (4)(2{,}50)(30\ 000)}{800\ 000}$$

d'où : $[BAII - (0{,}11)\ (1000)\ (5000) - (0{,}12)\ (2\ 000\ 000)]\ (1 - 0{,}35) - (4)\ (2{,}50)\ (30\ 000) = 0$

$$[BAII - 550\ 000 - 240\ 000]\,(1 - 0{,}35) - 300\ 000 = 0$$

$$BAII - 790\ 000 = \frac{300\ 000}{1 - 0{,}35}$$

$$BAII = 1\ 251\ 538\ \$$$

b) La compagnie sera indifférente lorsque :

BPA [Financ. par actions ordinaires] = BPA [Financ. par obligations et actions privilégiées]

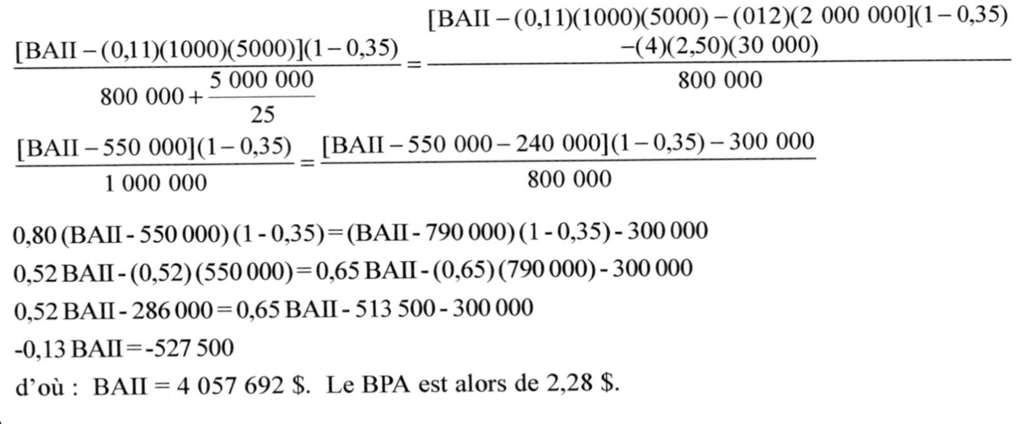

$$\frac{[BAII - (0{,}11)(1000)(5000)](1 - 0{,}35)}{800\ 000 + \dfrac{5\ 000\ 000}{25}} = \frac{[BAII - (0{,}11)(1000)(5000) - (012)(2\ 000\ 000](1 - 0{,}35) - (4)(2{,}50)(30\ 000)}{800\ 000}$$

$$\frac{[BAII - 550\ 000](1 - 0{,}35)}{1\ 000\ 000} = \frac{[BAII - 550\ 000 - 240\ 000](1 - 0{,}35) - 300\ 000}{800\ 000}$$

$$0{,}80\,(BAII - 550\ 000)\,(1 - 0{,}35) = (BAII - 790\ 000)\,(1 - 0{,}35) - 300\ 000$$

$$0{,}52\ BAII - (0{,}52)\,(550\ 000) = 0{,}65\ BAII - (0{,}65)\,(790\ 000) - 300\ 000$$

$$0{,}52\ BAII - 286\ 000 = 0{,}65\ BAII - 513\ 500 - 300\ 000$$

$$-0{,}13\ BAII = -527\ 500$$

d'où : BAII = 4 057 692 \$. Le BPA est alors de 2,28 \$.

c)

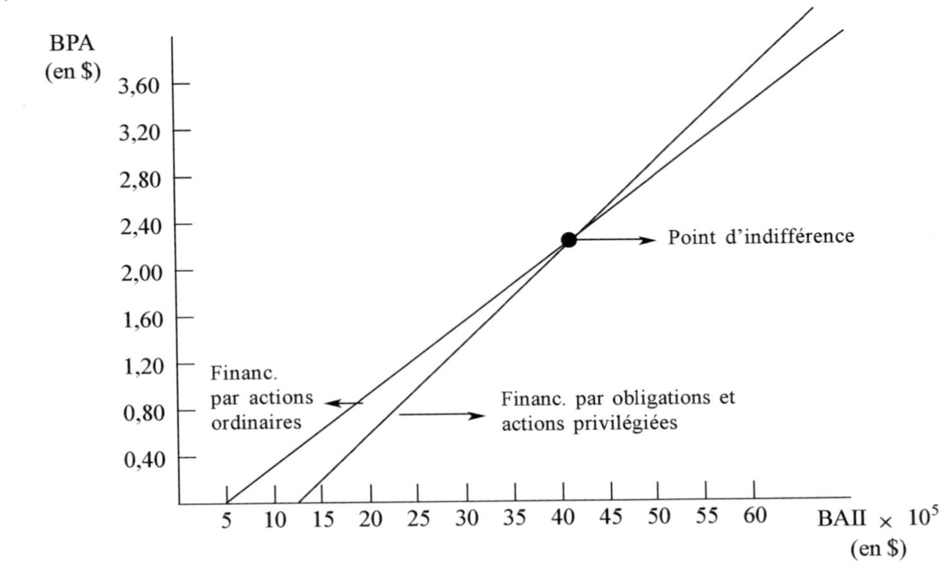

d) Si le BAII prévu est de 7 000 000 \$, la compagnie devrait opter pour la deuxième possibilité de financement (obligations et actions privilégiées) car cette possibilité maximise le bénéfice par action (voir le graphique en c).

5. a) **Émission d'actions ordinaires**

$$BPA = 0 = \frac{[BAII - (0,09)(1000)(17\ 000)](1 - 0,38)}{1\ 000\ 000 + \frac{6\ 000\ 000}{30}}$$

$$0 = (BAII - 1\ 530\ 000)(1 - 0,38)$$

$$0 = BAII - 1\ 530\ 000$$

$$BAII = 1\ 530\ 000\ \$$$

Émission de débentures

$$BPA = 0 = \frac{[BAII - (0,09)(1000)(17\ 000) - (0,08)(6\ 000\ 000)](1 - 0,38)}{1\ 000\ 000}$$

$$0 = (BAII - 1\ 530\ 000 - 480\ 000)(1 - 0,38)$$

$$0 = BAII - 2\ 010\ 000$$

$$BAII = 2\ 010\ 000\ \$$$

b) La compagnie sera indifférente si :
BPA [Financement par actions ordinaires] = BPA [Financement par débentures]

$$\frac{[BAII - (0,09)(1000)(17\ 000)](1 - 0,38)}{1\ 000\ 000 + \frac{6\ 000\ 000}{30}} = \frac{[BAII - (0,09)(1000)(17\ 000) - (008)(6\ 000\ 000)](1 - 0,38)}{1\ 000\ 000}$$

$$\frac{BAII - 1\ 530\ 000}{1\ 200\ 000} = \frac{BAII - 1\ 530\ 000 - 480\ 000}{1\ 000\ 000}$$

$$\left(\frac{10}{12}\right)(BAII - 1\ 530\ 000) = BAII - 2\ 010\ 000$$

$$0,833333\ BAII - 1\ 275\ 000 = BAII - 2\ 010\ 000$$

$$-0,166667\ BAII = -735\ 000$$

$$BAII = 4\ 410\ 000\ \$$$

Le BPA correspondant s'élève à 1,488 $.

c) **Émission d'actions ordinaires**

$$[BAII - (0,09)(1000)(17\ 000)](1 - 0,38) - \underbrace{(4)(0,30)(1\ 000\ 000 + 200\ 000)}_{\text{Dividendes ordinaires}} - \underbrace{(1000)(1000)}_{\text{Rachat de débentures}} = 0$$

$$(BAII - 1\ 530\ 000)(1 - 0,38) - 1\ 440\ 000 - 1\ 000\ 000 = 0$$

$$0,62\ BAII - 948\ 600 - 1\ 440\ 000 - 1\ 000\ 000 = 0$$

$$0,62\ BAII = 3\ 388\ 600$$

d'où : $BAII = 5\ 465\ 483,87\ \$$

Émission de débentures

$$[BAII - (0,09)(1000)(17\ 000) - (0,08)(6\ 000\ 000)](1 - 0,38) - (4)(0,30)(1\ 000\ 000) - (1000)(1000) = 0$$

$$[BAII - 1\ 530\ 000 - 480\ 000](1 - 0,38) - 1\ 200\ 000 - 1\ 000\ 000 = 0$$

$$0,62\ BAII - 1\ 246\ 200 - 1\ 200\ 000 - 1\ 000\ 000 = 0$$

$$0,62\ BAII = 3\ 446\ 200$$

d'où : $BAII = 5\ 558\ 387,10\ \$$

d)

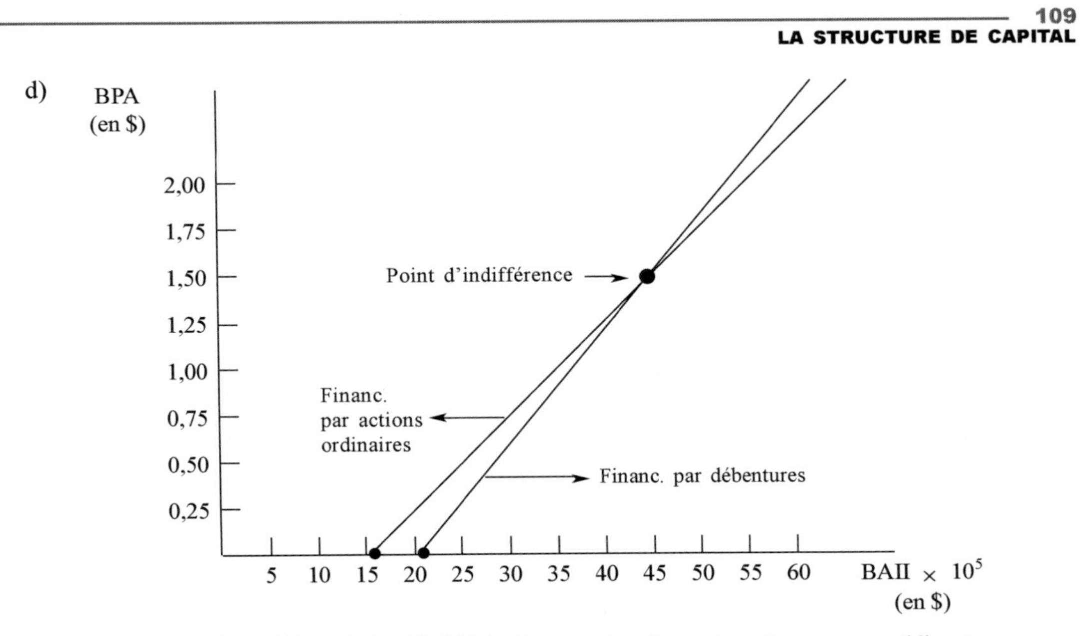

e) Si le BAII prévu s'élève à 8 000 000 $, l'entreprise devrait se financer par débentures car ce mode de financement maximise le bénéfice par action (voir le graphique en d).

6. a)

	Actions ordinaires	Débentures
Ventes	38 000 000 $	38 000 000 $
Coûts variables (60%)	22 800 000	22 800 000
Coûts fixes d'exploitation	10 000 000	10 000 000
Intérêts	960 000	1 560 000
Bénéfice avant impôts	4 240 000 $	3 640 000 $
Impôt (40%)	1 696 000	1 456 000
Bénéfice net	2 544 000 $	2 184 000 $
Bénéfice par action	1,956 $	2,18 $

Calculs

1. Intérêts (financement par actions ordinaires) = (12 000 000) (8%) = 960 000 $
2. Intérêts (financement par débentures) = 960 000 + (6 000 000) (10%) = 1 560 000 $
3. $$\begin{array}{c}\text{Bénéfice par action}\\ \text{(financement par actions ordinaires)}\end{array} = \frac{2\ 544\ 000}{1\ 000\ 000 + \dfrac{6\ 000\ 000}{20}} = 1{,}956\ \$$$
4. $$\begin{array}{c}\text{Bénéfice par action}\\ \text{(financement par débentures)}\end{array} = \frac{2\ 184\ 000}{1\ 000\ 000} = 2{,}184\ \$$$

b) Soit, X : Niveau des ventes.

Il s'agit de résoudre l'équation suivante :

$$\frac{[X-(0{,}60X)-10\ 000\ 000-960\ 000](1-0{,}40)}{1\ 300\ 000} = \frac{[X-(0{,}60X)-10\ 000\ 000-1\ 560\ 000](1-0{,}40)}{1\ 000\ 000}$$

$$\frac{0{,}40X-10\ 960\ 000}{1\ 300\ 000} = \frac{0{,}40X-11\ 560\ 000}{1\ 000\ 000}$$

$$\left(\frac{10}{13}\right)(0{,}40X-10\ 960\ 000) = 0{,}40X-11\ 560\ 000$$

$0{,}307692X - 8\,430\,769 = 0{,}40X - 11\,560\,000$

$-0{,}092308X = -3\,129\,231$

d'où : $X = 33\,899\,890$ $

c)

	Financement par actions ordinaires	Financement par débentures
Passif total / Actif total	$\dfrac{12\,000\,000}{37\,000\,000} = 32{,}43\%$	$\dfrac{19\,000\,000}{37\,000\,000} = 51{,}35\%$

La norme du secteur est respectée dans les deux cas.

Couverture des intérêts	$\dfrac{5\,200\,000}{960\,000} = 5{,}42X$	$\dfrac{5\,200\,000}{1\,560\,000} = 3{,}33X$

La norme du secteur n'est pas respectée si le nouveau financement s'effectue par débentures.

Couverture des charges financières	$\dfrac{5\,200\,000}{960\,000 + \dfrac{750\,000}{1-0{,}40}} = 2{,}35X$	$\dfrac{5\,200\,000}{1560000 + \dfrac{750000}{1-0{,}40}} = 1{,}85X$

La norme du secteur n'est pas respectée si le nouveau financement s'effectue par débentures.

d)

	Financement par actions ordinaires	Financement par débentures
Pourcentage des actions détenues par Pierre Bergeron	$\dfrac{670\,000}{1\,300\,000} = 51{,}54\%$	$\dfrac{670\,000}{1\,000\,000} = 67\%$

e) Pierre Bergeron a raison de penser que le bénéfice par action sera moins élevé si le nouveau financement s'effectue par actions ordinaires. Toutefois, il n'en résultera pas nécessairement une chute du cours de l'action si ce mode de financement est retenu. En effet, le financement par actions ordinaires étant moins risqué que le financement par dette, l'action ordinaire de la compagnie se négociera à un ratio cours/bénéfice plus élevé si elle se finance par actions ordinaires (le ratio cours/bénéfice est lié inversement au degré de risque que comporte l'action).

f) La compagnie devrait se financer par actions ordinaires et ce, pour les raisons suivantes :
1. Ce mode de financement respecte les normes du secteur pour les trois ratios concernés.
2. L'utilisation de ce mode de financement permet à Pierre Bergeron de demeurer actionnaire majoritaire.
3. Le recours aux actions ordinaires n'entraînera pas nécessairement une chute du cours de l'action.

7. La structure optimale de capital est celle qui minimise le coût du capital. Il s'agit donc de calculer le coût du capital de Milek pour chacune des structures possibles et de retenir la structure pour laquelle le coût du capital est minimisé.

Le coût du capital (ρ) se calcule ainsi :

$\rho = w_d r(1 - T) + w_0 k_0$

Par exemple, si $w_d = 15\%$, $w_0 = 85\%$, $r = 8\%$, $k_0 = 12\%$ et $T = 40\%$, on obtient :

$\rho = (0{,}15)(0{,}08)(1 - 0{,}40) + (0{,}85)(0{,}12) = 10{,}92\%$

w_d	w_0	r	k_0	ρ	
0	100%	-	11%	11%	
15%	85%	8%	12%	10,92%	
30%	70%	9%	13%	10,72%	← Structure optimale
45%	55%	10%	15%	10,95%	
60%	40%	12%	18%	11,52%	
75%	25%	15%	24%	12,75%	

La compagnie Milek devrait donc se financer à 30% par dette et à 70% par fonds propres.

8. a) Le revenu annuel de l'investisseur est actuellement de: (5%) (130 000) = 6 500 $. Il peut augmenter son revenu annuel, tout en laissant inchangé son niveau de risque, en effectuant les transactions suivantes:

1. Vendre ses actions de la compagnie B, ce qui lui rapportera (5%) (866 667) = 43 333 $.
2. Emprunter de manière à obtenir le même ratio d'endettement que celui de l'entreprise B. L'investisseur devra donc emprunter (1,1538) (43 333) = 49 998 $.
3. Acheter 5% des actions de la compagnie A coûtant (5%) (1 333 333) = 66 667 $.

S'il effectue les transactions ci-dessus, son revenu annuel passera à:
Revenu annuel de l'investisseur = (0,05) (200 000) - (0,07) (49 998) = 6 500 $.

Son revenu annuel est donc le même qu'auparavant. Toutefois, l'investisseur dispose d'une somme de (43 333 + 49 998 - 66 667 = 26 664 $) qu'il peut placer dans des titres sûrs, ce qui lui permettra de réaliser un gain certain de (0,07) (26 664) = 1 866 $.

b) Le processus d'arbitrage cessera lorsque la valeur marchande des deux compagnies sera identique, soit $V_A = V_B = 1\ 333\ 333$ $.

9. Valeur marchande de la firme U $= V_U = S_U = \dfrac{BAII(1-T)}{k_U}$

$$= \frac{2\ 500\ 000(1-0,40)}{0,14} = 10\ 714\ 286 \text{ \$}$$

Coût du capital de la firme U $= \rho_U = k_U = 14\%$
Valeur marchande de la firme L $= V_L = V_U + TB$

$$V_L = 10\ 714\ 286 + (0,40)(12\ 000\ 000)$$
$$V_L = 15\ 514\ 286 \text{ \$}$$

Pour calculer le coût du capital de la firme L, il y a plusieurs façons de procéder. Nous illustrons les deux plus rapides ci-dessous.

Méthode 1

On utilise : $V_L = \dfrac{BAII(1-T)}{\rho_L}$

$$15\ 514\ 286 = \frac{2\ 500\ 000(1-0,40)}{\rho_L} \quad \text{d'où : } \rho_L = 9,67\%$$

Méthode 2

On utilise : $\rho_L = \rho_U\left[1-\dfrac{TB}{V_L}\right]$

$$\rho_L = 0,14\left[1-\frac{(0,40)(12\ 000\ 000)}{15\ 514\ 286}\right]$$

$$\rho_L = 9,67\%$$

10. On utilise l'expression suivante :

$$\rho_L = \rho_U\left[1-\frac{TB}{V_L}\right] = \text{Coût du capital de la compagnie xyz compte tenu qu'elle a recours à l'endettement}$$

$$\text{d'où : } \rho_U = \frac{\rho_L}{\left[1-\frac{TB}{V_L}\right]} = \text{Coût du capital de la compagnie xyz si elle n'était pas endettée}$$

Calcul de B/V_L

On sait que :

$$\frac{B}{V_L} + \frac{S_L}{V_L} = 1 \qquad (1)$$

et $$\frac{B}{V_L} = 0{,}25 \quad \Rightarrow B = 0{,}25 S_L \qquad (2)$$

En substituant B par 0,25 S_L dans (1), on obtient :

$$\frac{0{,}25\,S_L + S_L}{V_L} = 1$$

$$\frac{0{,}25\,S_L}{V_L} = 1$$

$$\frac{S_L}{V_L} = \frac{1}{1{,}25} = 0{,}80 \Rightarrow \frac{B}{V_L} = 0{,}20$$

Calcul de ρ_L

Selon la formule de la moyenne pondérée, on a :

$$\rho_L = \left(\frac{B}{V_L}\right)(r)(1-T) + \left(\frac{S_L}{V_L}\right)(k_L)$$

$$\rho_L = (0{,}20)(0{,}14)(1-0{,}40) + (0{,}80)(0{,}21) = 18{,}48\%$$

Par conséquent :

$$\rho_U = \frac{0{,}1848}{[1-(0{,}40)(0{,}20)]} = 20{,}09\%$$

11. a) **Firme U**

On utilise : $V_U = \dfrac{E(BAII)(1-T)}{k_U}$

d'où : k_U = Coût du financement par actions de la firme U

$$k_U = \frac{E(BAII)(1-T)}{V_U}$$

$$k_U = \frac{500\,000(1-0{,}40)}{2\,500\,000}$$

$$k_U = 12\%$$

Firme L

On utilise : $k_L = k_U + [(1-T)(k_U - r)]\dfrac{B}{S_L}$

d'où : k_L = Coût du financement par actions de la firme L

k_L = 0,12 + [(1 - 0,40) (0,12 - 0,09)] (1) = 13,80%

b) **Firme U**

ρ_U = Coût du capital de la firme U = k_U = 12%

Firme L

On utilise ρ_L = Coût du capital de la firme $L = \rho_U \left[1 - \frac{TB}{V_L}\right]$

Calcul de B/V_L

On sait que :

$$\frac{B}{V_L} + \frac{S_L}{V_L} = 1 \qquad (1)$$

$$\text{et } \frac{B}{S_L} = 1 \Rightarrow B = S_L \qquad (2)$$

En remplaçant S_L par B dans l'équation (1), on obtient :

$$\frac{B + B}{V_L} = 1$$

$$\frac{2B}{V_L} = 1 \Rightarrow \frac{B}{V_L} = 0{,}50$$

d'où : $\rho_L = 0{,}12\ [1 - (0{,}40)\ (0{,}50)] = 9{,}60\%$

12. Entreprise X

Le coût du capital-actions de l'entreprise X (k_X) peut se calculer à l'aide du CAPM. Selon ce modèle, on a :

$k_X = r + [E(R_M) - r]\ \beta_X$

$k_X = 0{,}08 + [0{,}15 - 0{,}08]\,(1) = 15\%$

Le coût du capital de l'entreprise X (ρ_X) correspond à son coût du capital-actions puisque cette entreprise n'est pas endettée.

$\rho_X = k_X = 15\%$

Pour déterminer la valeur marchande de l'entreprise X (V_X), on utilise :

$$V_X = \frac{E(BAII)(1-T)}{\rho_X}$$

$$V_X = \frac{200\ 000(1-0{,}50)}{0{,}15} = 666\ 666{,}67\ \$$$

Entreprise Y

Le coût du capital-actions de l'entreprise Y (k_Y) peut se calculer à l'aide du CAPM. Selon ce modèle, on a :

$k_Y = r + [E(R_M) - r]\ \beta_Y$

$k_Y = 0{,}08 + [0{,}15 - 0{,}08]\,(1{,}50) = 18{,}50\%$

Le coût du capital de l'entreprise Y (ρ_Y) peut se calculer de deux façons :

Méthode 1

On utilise : $\rho_Y = \rho_X \left[1 - \frac{TB}{V_Y}\right]$

Calcul de B/V_Y

On sait que :

$$\frac{B}{V_Y} + \frac{S_Y}{V_Y} = 1 \qquad (1)$$

$$\text{et } \frac{B}{S_Y} = 1 \Rightarrow B = S_Y \qquad (2)$$

En remplaçant S_Y par B dans l'équation (1), on obtient :

$$\frac{B + B}{V_Y} = 1$$

$$\frac{2B}{V_Y} = 1 \Rightarrow \frac{B}{V_Y} = 0{,}50$$

d'où : $\rho_Y = 0{,}15\ [1 - (0{,}50)\ (0{,}50)] = 11{,}25\%$

Méthode 2

Selon la formule de la moyenne pondérée, on a :

$$\rho_Y = \left(\frac{B}{V_Y}\right)(r)(1-T) + \left(\frac{S_Y}{V_Y}\right)(k_Y)$$

$\rho_Y = (0{,}50)\,(0{,}08)\,(1 - 0{,}50) + (0{,}50)\,(0{,}1850) = 11{,}25\%$

Pour déterminer la valeur marchande de l'entreprise Y (V_Y), on peut procéder ainsi :

Dans un monde avec impôt, on a selon M et M 1963) :

$V_Y = V_X + TB$

$V_Y = 666\ 666{,}67 + (0{,}50)\ (B) \qquad (1)$

De plus, on sait que la valeur marchande d'une firme correspond à la valeur marchande de ses titres :

$V_Y = B + S_Y$

Dans le cas de l'entreprise Y, on a :

$B = S_Y$

d'où : $V_Y = B + B = 2B \qquad (2)$

En multipliant l'équation (1) par [-4], on obtient :

$-4V_Y = -2\,666\,666{,}68 - 2B \qquad (3)$

En additionnant (2) et (3), on trouve :

$$\begin{array}{rl} & V_Y = 2B \\ + & -4V_Y = -266\ 666{,}68 - 2B \\ \hline & -3V_Y = -2\ 666\ 666{,}68 \end{array}$$

d'où : $V_Y = 888\ 888{,}89$ $

13. a) **Financement par actions**

On utilise : $V_U = \dfrac{E(BAII)(1-T)}{k_U}$

$$V_U = \frac{3\ 000\ 000(1-0{,}40)}{0{,}16} = 11\ 250\ 000\ \$$$

Financement par dette et actions

On utilise : $V_L = V_U + TB$

$V_L = 11\ 250\ 000 + (0{,}40\ (4\ 000\ 000) = 12\ 850\ 000$ $

b) On utilise : $k_L = k_U + [(1-T)(k_U - r)]\frac{B}{S_L}$

Calcul de S_L (valeur marchande des actions)

On sait que : $V_L = B + S_L$

$12\,850\,000 = 4\,000\,000 + S_L$

d'où : $S_L = 8\,850\,000$ $

et

$$k_L = 0{,}16 + [(1-0{,}40)(0{,}16-0{,}11)]\frac{4\,000\,000}{8\,850\,000} = 17{,}36\%$$

14. a) Augmentation de 5 000 000 $

b) Aucun effet

c) Augmentation de 5 000 000 $

15. a) Selon M et M (1963), on a : $V_L = V_U + TB$

Le ratio d'endettement optimal pour la compagnie Brière est donc de 100%, soit B = 10 000 000 $.

b) Dans un contete où on tient compte des coûts de faillite, la valeur marchande d'une entreprise endettée se calcule ainsi :

$V_L = V_U + TB$ - Valeur actuelle des coûts de faillite espérés (VACFE)

B	**V_U + TB**	**Prob. de faillite (P)**	**Val. act. des coûts de faillite espérés VACFE = (P) · (5 000 000)**	**$V_L = V_U$ + TB - VACFE**	
0	6 000 000	0	0	6 000 000	
1 000 000	6 400 000	0,01	50 000	6 350 000	
2 000 000	6 800 000	0,02	100 000	6 700 000	
3 000 000	7 200 000	0,04	200 000	7 000 000	
4 000 000	7 600 000	0,08	400 000	7 200 000	
5 000 000	8 000 000	0,12	600 000	7 400 000	
6 000 000	8 400 000	0,18	900 000	7 500 000	Niv. opt. d'endett.
7 000 000	8 800 000	0,28	1 400 000	7 400 000	
8 000 000	9 200 000	0,40	2 000 000	7 200 000	
9 000 000	9 600 000	0,55	2 750 000	6 850 000	
10 000 000	10 000 000	0,70	3 500 000	6 500 000	

La valeur de la firme est maximisée pour un niveau d'endettement de 6 000 000 $. Le ratio d'endettement optimal (B/V_L) est de : $\frac{6\,000\,000}{7\,500\,000} = 80\%$.

16. a) On utilise l'expression suivante :

$$\text{Valeur actualisée des économies d'impôt attribuables aux emprunts} = \left[1 - \frac{(1-T)(1-T_{pS})}{(1-T_{pB})}\right] \cdot B$$

$$= \left[1 - \frac{(1-0{,}40)(1-0)}{(1-0)}\right] \cdot (10\,000\,000) = 4\,000\,000 \text{ \$}$$

b) Valeur actualisée des économies d'impôt attribuables aux emprunts $= \left[1 - \frac{(1-0,40)(1-0,30)}{(1-0,30)}\right] \cdot (10\ 000\ 000)$

$= 4\ 000\ 000$ $

c) Valeur actualisée des économies d'impôt attribuables aux emprunts $= \left[1 - \frac{(1-0,40)(1-0,20)}{(1-0,60)}\right] \cdot (10\ 000\ 000)$

$= -2\ 000\ 000$ $

d) Valeur actualisée des économies d'impôt attribuables aux emprunts $= \left[1 - \frac{(1-0,40)(1-0)}{(1-0,40)}\right] \cdot (10\ 000\ 000) = 0$

17. Son raisonnement est incorrect. Elle ne tient pas compte du fait que les rendements demandés par les bailleurs de fonds (12% par les créanciers et 18% par les actionnaires) ne sont valables que pour un ratio d'endettement de 50%. Si le ratio d'endettement de BME passe de 50% à 75% et que, par conséquent, le risque financier de l'entreprise s'accroît, les rendements exigés par les bailleurs de fonds augmenteront. Dans ces conditions, le coût moyen pondéré du capital de l'entreprise ne diminuera pas nécessairement (il pourrait même augmenter).

Chapitre 13

La relation entre les décisions d'investissement et de financement

1. a) F b) V c) F d) V e) F f) F g) V h) V i) V
j) V k) F l) F m) V n) V

2. **VAN (CMPCAPI)**

ρ = (0,30) (0,10) (1 - 0,40) + (1 - 0,30) (0,18) = 14,40%

$$\text{VAN(CMPCAPI)} = \frac{200}{0{,}144} - 1\ 000 = 388{,}89\ \$$$

VAN (CMPCAVI)

ρ_{AL} = (0,30) (0,10) + (1 - 0,30) (0,18) = 15,60%

B = Montant emprunté = 0,30 [Valeur actuelle des flux monétaires]

$$B = 0{,}30\left[\frac{(R - D - A)(1 - T) + A + (T)(INT)}{\rho_{AL}}\right]$$

$$B = 0{,}30\left[\frac{(R - D - A)(1 - T) + A + (T)(B)(r)}{\rho_{AL}}\right]$$

$$B = 0{,}30\left[\frac{200 + (0{,}40)(B)(0{,}10)}{0{,}1560}\right]$$

0,1560 B = 60 + 0,012 B
d'où : B = 416,67 $

$$\text{VAN(CMPCAVI)} = \frac{200 + (416{,}67)(0{,}10)(0{,}40)}{0{,}1560} - 1\ 000 = 388{,}89\ \$$$

VAN (VRA)

B = Montant emprunté = 0,30 [Valeur actuelle des flux monétaires]

$$B = 0{,}30\left[\frac{(R - D - A - INT)(1 - T) + A - RC}{k_0} + B\right]$$

$$B = 0{,}30\left[\frac{(R - D - A) + A - INT(1 - T) - RC}{k_0} + B\right]$$

$$B = 0{,}30\left[\frac{200 - (B)(0{,}10)(1 - 0{,}40)}{0{,}18} + B\right]$$

$0{,}18\text{ B} = 60 - 0{,}018\text{ B} + 0{,}054\text{ B}$
d'où : $\text{B} = 416{,}67\ \$$

$$\text{VAN(VRA)} = \frac{200-(416,67)(0,10)(1-0,40)}{0,18} - (1\ 000 - 416,67) = 388,89\ \$$$

La VAN est la même selon les trois méthodes puisque l'expression suivante est vérifiée :

$B_{t-1} = w_d\, V_{t-1},\ \forall_t$

3. a) $300\ 000 = R \cdot A_{\overline{5}|9\%}$

d'où : $R = 77\ 127{,}74\ \$$

Année	Solde de la dette en début d'année	Intérêts	Versement annuel	Remboursement de capital	Solde de la dette en fin d'année
1	300 000,00	27 000,00	77 127,74	50 127,74	249 872,26
2	249 872,26	22 488,50	77 127,74	54 639,24	195 233,02
3	195 233,02	17 570,97	77 127,74	59 556,77	135 676,25
4	135 676,25	12 210,86	77 127,74	64 916,88	70 759,39
5	70 759,39	6 368,34	77 127,74	70 759,40	≈ 0

$$\text{Valeur actualisée des économies d'impôt liées aux intérêts} = \frac{(27\ 000)(0,38)}{(1+0,09)} + \frac{(22\ 488,50)(0,38)}{(1+0,09)^2} + \frac{(17\ 570,97)(0,38)}{(1+0,09)^3} + \frac{(12\ 210,86)(0,38)}{(1+0,09)^4} + \frac{(6\ 368,34)(0,38)}{(1+0,09)^5}$$

$$= 26\ 621,37\ \$$$

b) $$\text{Valeur actualisée des économies d'impôt liées aux intérêts} = (300\ 000)(0,09)(0,38)A_{\overline{5}|9\%}$$

$$= 39\ 907,82\ \$$$

c) Dans le cas d'un emprunt obligataire, le solde de la dette est constant d'une année à l'autre. Il s'ensuit que les intérêts à payer pour les années 2 à 5 sont plus élevés que dans le cas où la dette est sous forme d'un prêt à terme.

4. **Tableau d'amortissement du prêt**

Période	Solde en début de période	Versement*	Intérêts	Remboursement de capital
1	300,00	120,63	30,00	90,63
2	209,37	120,63	20,94	99,69
3	109,68	120,63	10,97	109,66

$$\text{Versement} = \frac{300}{A_{\overline{3}|10\%}} = 120,63\ \$$$

VAN (CMPCAPI)

$\rho = (0{,}30)(0{,}10)(1-0{,}40) + (0{,}70)(0{,}18) = 14{,}40\%$

$\text{VAN (CMPCAPI)} = 500\,A_{\overline{3}|14,40\%} - 1\ 000 = 153{,}07\ \$$

VAN (CMPCAVI)

$\rho_{AL} = (0{,}30)(0{,}10) + (0{,}70)(0{,}18) = 15{,}60\%$

$$\text{VAN (CMPCAVI)} = \frac{500+(0,40)(30)}{(1+0,1560)^1} + \frac{500+(0,40)(20,94)}{(1+0,1560)^2} + \frac{500+(0,40)(10,97)}{(1+0,1560)^3} - 1\ 000$$

$$\text{VAN (CMPCAVI)} = 149,84\ \$$$

VAN (VRA)

$$\text{VAN (VRA)} = \frac{[500-(30)(1-0,40)-90,63]}{(1+0,18)^1} + \frac{[500-(20,94)(1-0,40)-99,69]}{(1+0,18)^2}$$
$$+ \frac{[500-(10,97)(1-0,40)-109,66]}{(1+0,18)^3} - (1\ 000 - 300)$$

$$\text{VAN (VRA)} = 143,71\ \$$$

VAN (A)

$$\rho_U = \frac{0,1440}{[1-(0,40)(0,30)]} = 16,36\,\%$$

$$\text{VAN (A)} = 500\,A_{\overline{3}|16,36\%} + \frac{(0,40)(30)}{(1+0,10)^1} + \frac{(0,40)(20,94)}{(1+0,10)^2} + \frac{(0,40)(10,97)}{(1+0,10)^3} - 1\ 000$$

$$\text{VAN (A)} = 137,48\ \$$$

5. ρ = (0,30) (0,10) (1 - 0,40) + (0,70) (0,18) = 14,40%

Afin que l'équation (13.9) soit vérifiée, il faut que :

$$\text{Montant emprunté} = (0,30)(500\,A_{\overline{3}|14,40\%}) = 345,92\ \$$$

$$\begin{array}{l}\text{Solde de la dette}\\ \text{à la fin de l'année 1}\end{array} = (0,30)(500\,A_{\overline{2}|14,40\%}) = 245,73\ \$$$

$$\begin{array}{l}\text{Solde de la dette}\\ \text{à la fin de l'année 2}\end{array} = (0,30)(500)(1+0,1440)^{-1} = 131,12\ \$$$

On obtient alors le tableau d'amortissement suivant :

Tableau d'amortissement du prêt

Année	**Versement annuel**	**Intérêts**	**Remboursement de capital**	**Solde du prêt à la fin de l'année**
1	134,78	34,59	100,19	245,73
2	139,18	24,57	114,61	131,12
3	144,23	13,11	131,12	0

VAN (CMPCAPI)

$$\text{VAN (CMPCAPI)} = 500\,A_{\overline{3}|14,40\%} - 1\ 000 = 153,07\ \$$$

VAN (CMPCAVI)

ρ_{AL} = (0,30) (0,10) + (0,70) (0,18) = 15,60%

$$\text{VAN (CMPCAVI)} = \frac{500+(0,40)(34,59)}{(1+0,1560)^1} + \frac{500+(0,40)(24,57)}{(1+0,1560)^2}$$
$$+ \frac{500+(0,40)(13,11)}{(1+0,1560)^3} - 1\ 000 = 153,07\ \$$$

6. a) VAN(A) = 700 000 $(1 + 0,14)^{-1}$ + 800 000 $(1 + 0,14)^{-2}$

$$+ (1\ 000\ 000)(0,30)(0,10)(0,40)\,A_{\overline{2}|10\%} - 1\ 000\ 000$$

VAN(A) = 250 435,56 $

b) $\text{Valeur actualisée des flux monétaires d'exploitation} = 700\ 000(1+0{,}14)^{-1} + 800\ 000(1+0{,}14)^{-2} = 1\ 229\ 609{,}10\ \$$

Montant emprunté = (0,30) (1 229 609,10) = 368 882,73 $

$$VAN(A) = 700\ 000(1+0{,}14)^{-1} + 800\ 000(1+0{,}14)^{-2} + (368\ 882{,}73)(0{,}10)(0{,}40)\ A_{\overline{2}|10\%} - 1\ 000\ 000$$

VAN(A) = 255 217,50 $

7. a) **VAN (CMPCAPI)**

$\rho = (0{,}30)(0{,}10)(1-0{,}40) + (0{,}70)(0{,}18) = 14{,}40\%$

$$VAN(CMPCAPI) = 200\ A_{\overline{10}|14{,}40\%} - 1\ 000 = 27{,}14\ \$$$

VAN (CMPCAVI)

$\rho_{AL} = (0{,}30)(0{,}10) + (0{,}70)(0{,}18) = 15{,}60\%$

$$VAN(CMPCAVI) = [200 + (300)(0{,}10)(0{,}40)]\ A_{\overline{10}|15{,}60\%} - 1\ 000 = 40{,}09\ \$$$

VAN (VRA)

$$VAN(VRA) = 200\ A_{\overline{10}|18\%} - (30)(1-0{,}40)A_{\overline{10}|18\%} - 300(1+0{,}18)^{-10} - (1\ 000 - 300) = 60{,}60\ \$$$

VAN (A)

$\rho_U = 0{,}1440/[1-(0{,}40)(0{,}30)] = 16{,}36\%$

$$VAN(A) = 200\ A_{\overline{10}|16{,}36\%} + (300)(0{,}10)(0{,}40)A_{\overline{10}|10\%} - 1\ 000 = 27{,}56\ \$$$

b)

	VAN (CMPCAPI)	VAN (CMPCAVI)	VAN(VRA)	VAN(A)
VAN (CMPCAPI)	-	1,30%*	3,35%	0,04%
VAN (CMPCAVI)		-	2,05%	1,25%
VAN(VRA)			-	3,30%
VAN(A)				-

Exemple de calculs : $\frac{|VAN(CMPCAVI)-VAN(CMPCAPI)|}{I} = \frac{|40{,}09 - 27{,}14|}{1000} = 1{,}30\%$

c) **VAN (CMPCAPI)**

$$VAN(CMPCAPI) = (200)(1+0{,}05)\ A_{\overline{10}|14{,}40\%} - 1\ 000 = 78{,}50\ \$$$

VAN (CMPCAVI)

$$VAN(CMPCAVI) = [(200)(1+0{,}05) + (300)(0{,}10)(0{,}40)]A_{\overline{10}|15{,}60\%} - 1\ 000 = 89{,}15\ \$$$

8. On calcule, en premier lieu, la VAN de base du projet.

$$VAN\ de\ base = 200\ 000(1-0{,}46)\ A_{\overline{4}|16\%} + \frac{(800\ 000)(0{,}20)(0{,}46)[1+(0{,}50)(0{,}16)]}{(0{,}16+0{,}20)(1+0{,}16)} + \frac{50\ 000}{(1+0{,}16)^4} - \frac{(50\ 000)(0{,}20)(0{,}46)}{(0{,}16+0{,}20)(1+0{,}16)^4} - 800\ 000$$

VAN de base = -286 894,16 $

Pour déterminer la VAN ajustée du projet, on doit ajouter à la VAN de base la valeur actualisée des économies d'impôt liées aux intérêts et soustraire les frais d'émission après impôt.

Le montant emprunté est de : (800 000) (0,40) = 320 000 $.

Le versement annuel nécessaire pour rembourser l'emprunt se calcule ainsi :

$320\,000 = R\ A_{\overline{4}|12\%}$

d'où : R = 105 355,02 $

Le tableau d'amortissement du prêt est le suivant :

Année	Versement annuel	Intérêts	Remboursement de capital	Solde du prêt à la fin de l'année
1	105 355,02	38 400,00	66 955,02	253 044,98
2	105 355,02	30 365,40	74 989,62	178 055,36
3	105 355,02	21 366,64	83 988,38	94 066,98
4	105 355,02	11 288,04	94 066,98	0

La valeur actualisée des économies d'impôt liées aux intérêts est :

$$\frac{(38\,400)(0,46)}{(1+0,12)^1}+\frac{(30\,365,40)(0,46)}{(1+0,12)^2}+\frac{(21\,366,64)(0,46)}{(1+0,12)^3}+\frac{(11\,288,04)(0,46)}{(1+0,12)^4}=37\,202,47\ \$$$

Les frais d'émission après impôt se calculent ainsi :

$$\text{Produit brut de l'émission} - \underbrace{(\text{Produit brut de l'émission})\ (0{,}08)}_{\text{Frais d'émission après impôt}} = (0{,}60)(800\,000)$$

(Produit brut de l'émission) (1 - 0,08) = 480 000

d'où : Produit brut de l'émission = 521 739,13 $

et frais d'émission après impôt = (521 739,13) (0,08) = 41 739,13 $

La VAN ajustée est donc :

VAN(A) = -286 894,16 + 37 202,47 - 41 739,13 = -291 430,82 $

Le projet n'est pas acceptable.

9. Montant emprunté = (40%) (100 000) = 40 000 $

Tableau d'amortissement du prêt

Année	Solde de la dette en début d'année	Intérêts	Capital remboursé	Versement de fin d'année	Solde de la dette en fin d'année
1	40 000	4000	8000	12 000	32 000
2	32 000	3200	8000	11 200	24 000
3	24 000	2400	8000	10 400	16 000
4	16 000	1600	8000	9 600	8 000
5	8 000	800	8000	8 800	0

$$\text{VAN(A)} = -100\,000 + 25\,000(1-0,38)A_{\overline{5}|16\%} + \frac{(100\,000)(0,20)(0,38)\left(1+\frac{0,16}{2}\right)}{(0,16+0,20)(1+0,16)}$$

$$+\frac{15\,000}{(1+0,16)^5}-\frac{(15\,000)(0,20)(0,38)}{(0,16+0,20)(1+0,16)^5}$$

$$+\frac{(4\,000)(0,38)}{(1+0,10)}+\frac{(3\,200)(0,38)}{(1+0,10)^2}+\frac{(2\,400)(0,38)}{(1+0,10)^3}$$

$$+\frac{(1\,600)(0,38)}{(1+0,10)^4}+\frac{(800)(0,38)}{(1+0,10)^5}-2\,500+(2\,500)(0,20)(0,38)A_{\overline{5}|10\%}$$

$$=-19\,047,63\ \$$$

Le projet devrait être refusé.

10. Calcul de la valeur actualisée, au taux d'intérêt du marché après impôt, des déboursés nets d'impôt nécessaires pour rembourser l'emprunt subventionné

Le taux d'intérêt du marché après impôt est 10%(1 - 0,40) = 6%.

Le versement périodique nécessaire pour rembourser l'emprunt subventionné se calcule ainsi :

$5\ 000\ 000 = R \cdot A_{\overline{4}|4\%}$

d'où : R = 1 377 450,23 $

Tableau d'amortissement du prêt

Année	Solde du prêt en début d'année	Versement annuel	Intérêts	Économie d'impôt liée aux intérêts	Remboursement de capital
1	5 000 000,00	1 377 450,23	200 000,00	80 000,00	1 177 450,23
2	3 822 549,77	1 377 450,23	152 901,99	61 160,80	1 224 548,24
3	2 598 001,53	1 377 450,23	103 920,06	41 568,02	1 273 530,17
4	1 324 471,36	1 377 450,23	52 978,85	21 191,54	≈ 1 324 471,36

d'où :

$$\begin{aligned}\text{VAN de l'emprunt subventionné} &= 5\ 000\ 000 - [1\ 377\ 450,23\, A_{\overline{4}|6\%} - 80\ 000(1+0,06)^{-1} - 61\ 160,80(1+0,06)^{-2} \\ &\quad - 41\ 568,02(1+0,06)^{-3} - 21\ 191,54(1+0,06)^{-4}] \\ &= 408\ 581,07\ \$\end{aligned}$$

Chapitre 14

La politique de dividende

1. a) Les projets A, B, D et E sont acceptables puisque leur taux de rendement interne excède le coût du capital de la compagnie.

b) Dividendes = MAX [0, 800 000 - (0,70) (1 050 000)] = 65 000 $

2. a) $$D_1 = \text{MAX}\left[0, \frac{280\ 000 - (0,60)(170\ 000)}{100\ 000}\right] = 1,78\ \$$$

$$D_2 = \text{MAX}\left[0, \frac{360\ 000 - (0,60)(600\ 000)}{100\ 000}\right] = 0$$

$$D_3 = \text{MAX}\left[0, \frac{400\ 000 - (0,60)(250\ 000)}{100\ 000}\right] = 2,50\ \$$$

$$D_4 = \text{MAX}\left[0, \frac{500\ 000 - (0,60)(800\ 000)}{100\ 000}\right] = 0,20\ \$$$

$$D_5 = \text{MAX}\left[0, \frac{550\ 000 - (0,60)(200\ 000)}{100\ 000}\right] = 4,30\ \$$$

b) On utilise l'expression suivante :

$$D = \frac{\sum_{t=1}^{n} B_t - w_0 \sum_{t=1}^{n} I_t}{N \cdot n}$$

$$\sum_{t=1}^{5} B_t = (280\ 000 + 360\ 000 + 400\ 000 + 500\ 000 + 550\ 000) = 2\ 090\ 000\ \$$$

$$w_0 \sum_{t=1}^{5} I_t = (0,60)(170\ 000 + 600\ 000 + 250\ 000 + 800\ 000 + 200\ 000) = 1\ 212\ 000\ \$$$

d'où : $$\text{Dividende fixe annuel par action} = \frac{2\ 090\ 000 - 1\ 212\ 000}{(100\ 000)(5)} = 1,76\ \$$$

c) Une politique résiduelle de dividende appliquée sur une base annuelle entraînerait des variations importantes au niveau des dividendes annuels par action versés par la compagnie, ce qui pourrait déplaire à certaines catégories d'investisseurs et engendrer des fluctuations substantielles dans le cours de l'action.

3. a) Les projets A, C et E devraient être acceptés puisque leur VAN excède 0. Le budget des investissements pour l'année XX+8 sera donc de :
400 000 $ + 300 000 $ + 200 000 $ = 900 000 $

b) 1,80 $, puisque la compagnie suit une politique de dividende stable.

$$\begin{array}{l}\text{Nombre d'actions} \\ \text{privilégiées à émettre}\end{array} = \frac{\text{Investiss. de XX+8 - (Bénéfice de XX+8 - Divid. de XX+8)}}{100}$$

$$= \frac{900\ 000 - [400\ 000 - (1,80)(125\ 000)]}{100} = 7\ 250$$

c) $$D_{XX+8} = \text{MAX}\left[0,\ \frac{400\ 000 - 900\ 000}{125\ 000}\right] = 0$$

$$\begin{array}{l}\text{Nombre d'actions} \\ \text{privilégiées à émettre}\end{array} = \frac{900\ 000 - 400\ 000}{100} = 5\ 000$$

4. a) $$\begin{array}{l}\text{Prix de l'action} \\ \text{au début de XX+1}\end{array} = \text{VA [des dividendes prévus]}$$

$$\begin{array}{l}\text{Dividende par action annuel} \\ \text{prévu à partir de XX+2}\end{array} = \frac{800\ 000 + 200\ 000}{200\ 000} = 5\ \$$$

d'où :

$$\begin{array}{l}\text{Prix de l'action} \\ \text{au début de XX+1}\end{array} = \frac{5}{(1+0,10)^2} + \frac{5}{(1+0,10)^3} + \frac{5}{(1+0,10)^4} + \ldots + \frac{5}{(1+0,10)^\infty}$$

$$= \left(\frac{5}{0,10}\right)(1+0,10)^{-1} = 45,45\ \$$$

Le prix de l'action augmente puisque les investissements projetés ont un taux de rendement supérieur au taux de rendement requis par les actionnaires.

b) Il est probable que le prix de l'action de JWR baissera lorsque celle-ci annoncera qu'elle coupe son dividende régulier pour l'année XX+1.

5. a) **Plan A**

Prix de l'action = VA [des dividendes prévus]

$$\text{Prix de l'action} = \frac{2,00}{(1+0,25)^1} + \frac{3,08}{(1+0,25)^2} + \frac{3,08}{(1+0,25)^3} + \ldots + \frac{3,08}{(1+0,25)^\infty}$$

$$= \frac{2,00}{(1+0,25)} + \left(\frac{3,08}{0,25}\right)(1+0,25)^{-1} = 11,46\ \$$$

Plan B

Prix de l'action = VA [des dividendes prévus]

$$\text{Prix de l'action} = \frac{2,90}{(1+0,20)^1} + \frac{2,90}{(1+0,20)^2} + \ldots + \frac{2,90}{(1+0,20)^\infty}$$

$$= \frac{2,90}{0,20} = 14,50\ \$$$

b) Celle de Gordon.

c) Selon Miller et Modigliani, les deux plans de financement sont équivalents. Dans les deux cas, le rendement exigé par les actionnaires devrait être de 20% et le prix de l'action de 14,50 $.

Prix de l'action si la compagnie opte pour le plan A (selon Miller et Modigliani)
$$= \frac{2,00}{1+0,20)^1} + \frac{3,08}{1+0,20)^2} + \frac{3,08}{1+0,20)^3} + \ldots + \frac{3,08}{1+0,20)^\infty}$$
$$= \frac{2,00}{1+0,20)^1} + \left(\frac{3,08}{0,20}\right)(1+0,20)^{-1}$$
$$= 14,50 \text{ \$} = \text{Prix de l'action selon le plan B}$$

6. a) Le lundi 21 juillet 2009, puisque l'action se négociera ex-dividende à partir du mardi 22 juillet 2009.

b) À la date ex-dividende, soit le 22 juillet 2009.

7. Nombre d'actions détenues par M. Gordon = (200) (3) (1,20) = 2 160.
d'où : Revenus de dividendes de M. Gordon pour 2009 = (2 160) (0,40) = 864 $.

8. a) Dividende par action $= \frac{(0,50)\ (0,80)}{4} = 0,10$ $

b) Prix de l'action $= \frac{120}{4} = 30$ $

c) Aucun impact. Si on suppose que la compagnie est financée à 100% par actions ordinaires, la valeur marchande restera à 240 000 000 $ (8 000 000 × 30 $).

d) Aucun impact. Cet actionnaire détiendra 400 actions valant chacune 30 $, au lieu de 100 actions valant 120 $ l'unité.

9. a) Bénéfice par action $= \frac{4\ 000\ 000 \text{ \$}}{800\ 000} = 5$ $

Ratio cours/bénéfice $= \left(\frac{35 \text{ \$}}{5 \text{ \$}}\right) = 7X$

b) BPA suite au rachat de 100 000 actions $= \frac{4\ 000\ 000 \text{ \$}}{700\ 000} = 5,714$ $

Prix prévu de l'action suite au rachat de 100 000 actions $= (7)(5,714) = 40$ $

Augmentation prévue du prix de l'action $= 40 \text{ \$} - 35 \text{ \$} = 5$ $

La richesse des actionnaires restants demeurera inchangée, car la hausse du prix de l'action (5 $) compense le dividende perdu (5 $).